NINA STARDUST

2

Satoshi Fukushima

W0369198

星屑ニーナ

INTRODUZIONE AI PERSONAGGI
Nina
NINA
Popo
POPO
GRU
Crane
DISCO VOLANTE
Flying Saucer
PICCIONE
Pigeon

Hoshikuzu
HOSHIKUZU
Taiyo Sun
IL SOLE
Mr. Moon
MISTER LUNA
RUI
Rui
Space Snakehead
CHANNA SPAZIALE
Taihei
TAIHEI
ORATA
TARTARUGA
Sea Bream
Turtle
HOSHIKUZU & NINA

INDICE

CAP. 8 PA-PA-PA-PA-PA-PA 005
CAP. 9 MEMORY OF NINA 029
CAP. 10 RINCORSA 053
CAP. 11 SALTA! 069
CAP. 12 UOMINI E DONNE 109
CAP. 13 GIORNI D'AMORE E DI SALUTE 135
CAP. 14 LA LEGGE DELLO SPAZIO 167

CAPITOLO 8

PA-PA-PA- PA-PA-PA

* BATTERIA SUPER ULTRA PER ROBOT

PA...
QUESTA BATTERIA È SOFISTICATA E RISPETTO AGLI ACCUMULATORI AGLI IONI DI LITIO DI ADESSO...
NO!
NON HO CHIESTO QUESTO!
GNIK
CI SEI?
APRI BENE LE ORECCHIE.
TI STO CHIEDENDO...
... IL PERCHÉ.
PER QUALE MOTIVO...
... HAI RUBATO QUESTA BATTERIA?
...
PER INCONTRARE UNA PERSONA.
MI SERVIVA A TUTTI I COSTI.
E QUINDI?!
E QUINDI?!

CHI È QUESTA PERSONA?
NON POSSO DIRGLIELO!
SBAM
NON PRENDERMI PER IL CULO!
NON CI ANDRÒ LEGGERO SOLO PERCHÉ SEI UN BAMBINO!
CREDI CHE UNA SOLA BATTERIA NON SIA POI UNA COSA COSÌ GRAVE, VERO?
...
PERCHÉ LA PENSA COSÌ?
CI...
CI HO PRESO?
CE...
CE L'HAI SCRITTO IN FACCIA.
EH?
SWISH
SWISH
SWISH
SWISH
SEI SCEMO?
È UNA METAFORA!
SIGNIFICA CHE SO COSA TI PASSA PER LA TESTA!
SIGH...
ALLORA...

... SA ANCHE CHE STO PENSANDO CHE BASTERÀ PAGARLA PER FARMI PERDONARE?
NO, CHE NON TI PERDONO!
NON RIESCO A LEGGERTI FINO A QUESTO PUNTO!
HA RAGIONE.
D'ALTRONDE HO RUBATO PROPRIO PERCHÉ NON HO I SOLDI.
NON...
NON FARE L'INSOLENTE!
...
COMUNQUE...
電氣ビリビリ館
BB
NON MI HAI DETTO NIENTE SU DI TE, NÉ SULLE RAGIONI DEL FURTO.
CHIAMERÒ LA POLIZIA.
* SCOSSA, LA CASA DELL'ELETTRICITÀ
NON SCAPPARE.
SÌ.
...
チラ
BLINK
NON SCAPPARE...
... DA QUELLA FINESTRA.

EH?
IO ADESSO VADO UN ATTIMO AL BAGNO, MA NON TI AZZARDARE...
... A PRENDERE QUELLA BATTERIA....
... E SCAPPARE.
EH?
EH?
STA' ATTENTO...
... VISTO CHE SEI UN IDIOTA BUONO A NULLA.
NON DEVI ASSOLUTAMENTE SCAPPARE!
PA-PA-PA-PA-PA-PA!
PA-PA-PA-PA-PA!

SSSSSH
SLAM
WC
FLUUUUSH
CLACK
...
CLACK
GNIK
GNIK
GNIK
GNIK
È SCAPPATO, EH?

PERCHÉ? PERCHÉ?
PERCHÉ? PERCHÉ?
DON
DON
SWISH
SWISH
SWISH
CLAP
CLAP
CLAP
CLAP
CLAP
FORSE PERCHÉ È LA PRIMA VOLTA CHE RUBO?
SWISH
FLIP

HOSHIKUZU, CI SEI?
GNEEEECK
SÌ.
ECCO LA BATTERIA CHE TI AVEVO PROMESSO.
LA RINGRAZIO.
NON POSSO SPIEGARTELO BENE, MA È STATA UN'IMPRESA!
COMUNQUE, ORA...
CON QUESTA, IN QUALCHE MODO...
... FAMMI INCONTRARE NINA!

ECCO NINA IL 6 APRILE DI 75 ANNI FA, ORE 11:45 DEL MAT-TINO.
GASP
PLIC
BIP
SÌ.
TIKI TIKI TIKI
75 ANNI FA 6 APRILE
GUARDA CHE BEI FIORI!
PRAN-ZIAMO QUI!
AAAH...

COME PENSAVO, LA NINA DEI TEMPI DEL-LA SCUOLA È DAVVERO CARINA...
SWISH
SWISH
SWISH
SWISH
EH! EH! EH!
NON RIDE-RE, HO-SHIKU-ZU...
QUESTO È AMORE.
NINA È LA MIA DEA. SOLO MIA. PERCIÒ NON PROVARE A RIDERE...
NON LO FARÒ.

CINQUE GIORNI DOPO...
DON
DON
SWISH
SWISH
SWISH
CLAP
CLAP
CLAP
CLAP
CLAP
SONO SOLO INCIAMPATO E CADUTO IN UN FOSSO!
NON GUARDARMI COSÌ.
PIUTTOSTO, FAMMI VEDERE NINA.
QUALCOSA CHE MI TIRI SU.
SÌ.
ECCO NINA IL 27 NOVEMBRE DI 58 ANNI FA, ORE 10:10 DEL MATTINO.
SENTI, HOSHIKUZU, ASPETTAMI FUORI. MI STO CAMBIANDO.
PA-PA!
58 ANNI FA 27 NOVEMBRE AM 10:10
TIKI TIKI TIKI TIKI

PA-
PA-
PA-
PA-
PA!
PA...
CHE LE SUCCEDE?
NIENTE.
È RIUSCITO A TIRARSI SU?
TU...
NON È CHE L'HAI FATTO APPOSTA?
NE HO ALTRE.
PA-PA-PA!
LA MIA DEA!
THUD
È LA MIA DEA, EPPURE...
THUD

ALTRI CINQUE GIORNI DOPO...
ANCHE LA MIA DEA È UMANA.
FA LA CACCA E LA PIPÌ.
MA NINA NON È PIÙ IN QUESTO MONDO.
E NEMMENO IO VOGLIO VEDERE QUELLA ROBA.
IL CHE SIGNIFICA CHE MI FARAI VEDERE LA NINA PRIMA DEL MATRIMONIO.
SÌ.
TIKI TIKI TIKI
LOAD
75 ANNI FA 6 APRILE
BUONGIORNO!
ECCO NINA IL 6 APRILE DI 75 ANNI FA, ORE 7:55 DEL MATTINO.
PA-PA! NINA!
NINA! NINA!
DOPODICHÉ, NOVE MESI DOPO...
NINA...

TIKI TIKI TIKI
POTREBBE CAMBIARMI LA BATTE-RIA?
L'ENERGIA RESIDUA, ORMAI, È...
AH, DAVVE-RO?
...
SAI, HO-SHIKU-ZU...
LA BATTE-RIA CHE TI HO DATO...
... IN REALTÀ L'HO RU-BATA.
SONO UN CRIMINALE RECIDIVO.
CAPISCO.
...

UN MESE DOPO...
GNEECK
SEI ANCORA QUI, HO-SHIKUZU?
...
ASPETTI UN MO-MENTO.
FZZZ
LASCIA PERDERE QUEL-LO, PER OGGI....
FLAP
SÌ.
HO UNA COSA PER TE, HO-SHIKUZU.
VIENI UN ATTIMO CON ME.
STA-NOTTE MI GIRO DA QUESTA PARTE.

TIENI. UNA BATTERIA.
GRAZIE MILLE.
DOVRESTI RINGRAZIARE IL COMMESSO.
CLACK
BIP BIP BIP BIP BIP BIP
SKANG
TI STA BENE COSÌ?
TIKI TIKI TIKI TIKI
I ROBOT NASCONO PER LAVORARE AL SERVIZIO DEGLI UMANI.
FLAP
TIKI TIKI TIKI TIKI

NON RICORDO QUANDO, MA NINA DISSE CHE...
... "ANCHE SE SEI UN ROBOT, NON SEI COSTRETTO A LAVORARE!".
IO SONO UN FANATICO DI NINA.
CONTROLLA PURE!
TIKI TIKI TIKI...
SÌ.
IL 18 SETTEMBRE DI 69 ANNI FA, ORE 15:05.
NINA DISSE PROPRIO COSÌ.
VISTO?!
SKRANG
PA-PA-PA-PA-PA-PA-PA-PA!
ERI SPECIALE?
L'HA DETTO PERCHÉ ERI SPECIALE?!
PERCHÉ HA DETTO UNA COSA DEL GENERE?
NON LO SO.
COS'È NINA PER TE?!
WHAM
LA MIA MAESTRA.

ALLORA, HOSHIKUZU...
COSA SONO IO PER TE?!
UGH...
TIKI TIKI...
TIKI TIKI TIKI TIKI...
UN LADRO RECIDIVO.
IL TUO PADRONE! SONO IL TUO PADRONE!
SKRANG
PADRONE! PADRONE!
CAPISCI COSA VUOL DIRE?
I DATI DI NINA...
LA SUA VITA...
... ESISTONO PROPRIO PERCHÉ IO TI HO DATO UNA BATTERIA!
IN POCHE PAROLE, SONO IL SUO SALVATORE!

MERDA.
ANCHE IO VOGLIO ESSERE SPECIALE PER NINA!
PA...
POSSIAMO RESTARE COSÌ?
...
FAMMI INCONTRARE NINA.
BIP
SÌ.
ASPETTI UN MOMENTO.
WOSH
NON COSÌ.
FAMMI INCONTRARE NINA IN CARNE E OSSA.

TIKI TIKI TIKI TIKI TIKI TIKI
TIKI TIKI TIKI TIKI
...
TIKI TIKI TIKI...
TIKI ....
DASH
TIKI TIKI TIKI TIKI TIKI TIKI TIKI TIKI
TIKI TIKI TIKI TIKI TIKI TIKI TIKI TIKI
EHI!
BASH
BASH
BASH
NON PROVARE A DIRE CHE È ASSOLUTA-MENTE IM-POSSIBILE!
QUANTO CHIAS-SO...
TIKI TIKI TIKI TIKI

TIKI TIKI TIKI TIKI
YAWN...
TIKI TIKI TIKI...
SEI UNO STUPIDO, HOSHIKUZU.
UH?
キアアアア
POOOOOFF
CIAO!
BLUSH
BASH

PA-PA-PA-PA-PA-PA!
TAP
TAP
TAP
TAP
EH?! STO SOGNANDO?!
È UN SOGNO, VERO?
UN SOGNO! UN SOGNO!
UN SOGNO!
MMH...
ANCHE SE FOSSE UN SOGNO...
... CHE IMPORTA?
ANCHE SE È UN SOGNO, MI STA BENE!
MI VA BENE COMUNQUE!
UGH...
VOGLIO ESSERE SPECIALE PER TE...
UHN.

(CAPITOLO 8) FINE

CAPITOLO 9
MEMORY OF NINA

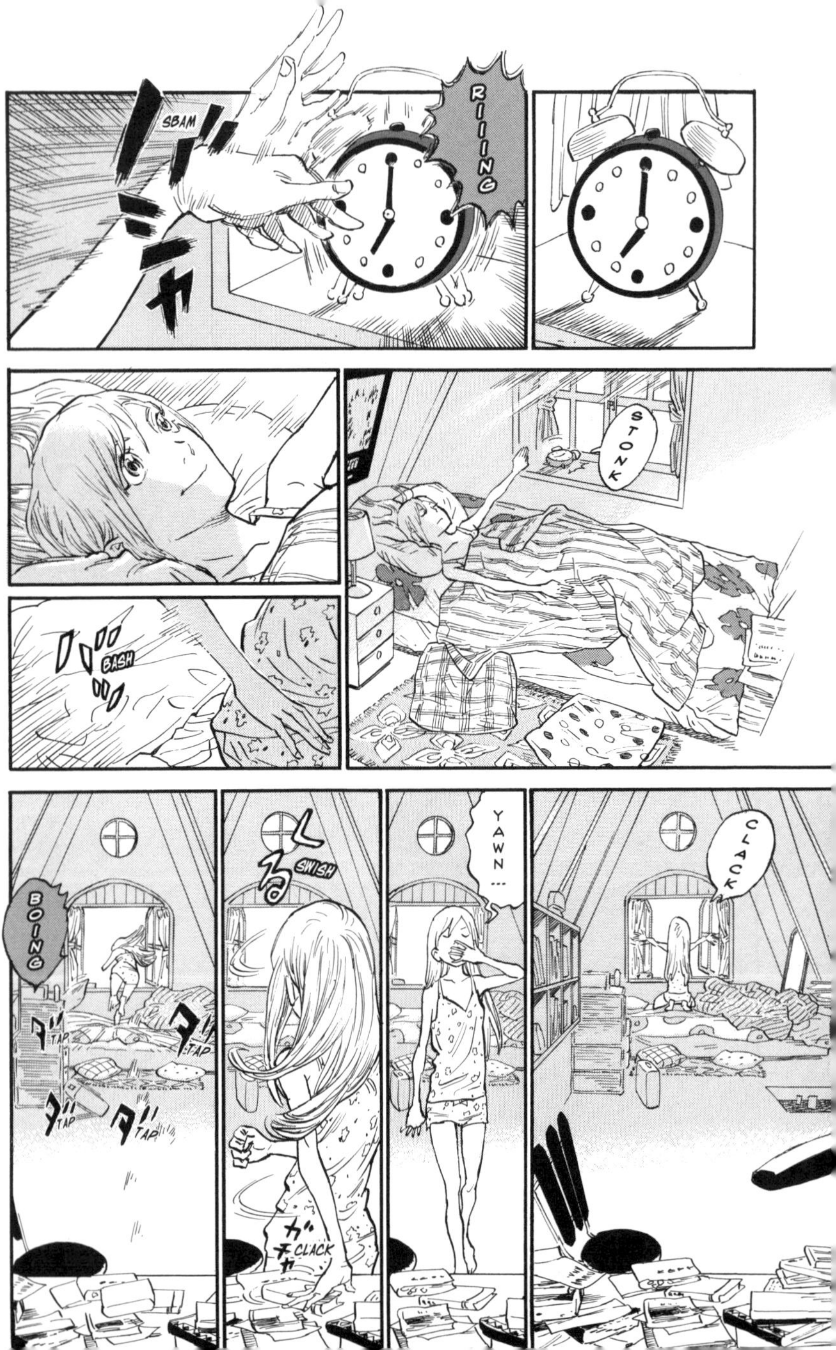
RIIING
SBAM
STONK
BASH
CLACK
YAWN...
SWISH
CLACK
BOING
TAP
TAP
TAP
TAP

ZASH
BOOM
SPLASH

SWIIISH
CRICK
BUONGIORNO, HOSHIKUZU.
AH.
BUONGIORNO.
CHE FAME!
LÌ C'È IL SUO PRANZO.
HUM, HUM, HUM...
HUM!
BASH

SEI PROMOSSO.
GRAZIE MILLE.
BLUB BLUB
BUON APPETITO!
LA COLAZIONE È IMPORTANTISSIMA, VERO?
SAI, OGGI...
... VOGLIO FARE QUALCOSA DI ENTUSIASMANTE PER TUTTO IL GIORNO!
GNAM
OPPURE HAMMICI PENHARE...
MUNCH... MUNCH...
CHE NE PENSI?
È BUONO?
È DELIZIOSO!
ASSAGGIA ANCHE TU, HOSHIKUZU!
I ROBOT NON POSSONO MANGIARE.

È GIORNO!
ALLORA!
SWOSH
DOVE CE NE ANDIAMO OGGI?
NON HA LA SCUOLA?
CON QUESTO BEL TEMPO...
... PERCHÉ DOVREI ANDARE A SCUOLA?
RISPONDI.
TIKI TIKI TIKI TIKI
IN QUANTO MEMBRO DELLA SOCIETÀ, AL FINE DI GODERE DEI PROPRI DIRITTI E SVOLGERE I PROPRI DOVERI, SI VA A SCUOLA PER ACQUISIRE NOZIONI E CONOSCENZE...
... CHE PERMETTANO DI TROVARE UN LAVORO PER RENDERSI INDIPENDENTI...
... E GODERE DI UNA VITA MIGLIORE.
UH! UH! UH!
CIÒ SIGNIFICA CHE IO SONO SPECIALE.

SONO GIÀ INDIPENDENTE...
... E CI SEI TU, HOSHIKUZU, CHE HAI LE NOZIONI E LE CONOSCENZE. CON QUESTO, SONO A POSTO.
QUINDI, OGGI POSSO ANCHE NON ANDARE A SCUOLA.
HOP.
HOP.
SALE
ROLL
ROLL
ROLL
HOPLÀ.
HO-SHIKU-ZU!
PAFF
DOVE STA ANDANDO?
THUD
MMH....
VISTO CHE OGGI C'È BEL TEMPO...

... SEGUIRÒ QUELLA FARFALLA!
SÌ.
VROOOOOM
VROOOM
VROOOM
NINA.
SI È DIMENTICATA DI CHIUDERE LA PORTA DI CASA.
PIP
VROOOM
GLI UNICI LADRI CHE POTREBBERO ENTRARE IN CASA MIA, AL MASSIMO, SONO I TANUKI.
VROOOOOM
SONO LADRI CHE SI DANNO UN GRAN DAFFARE.

VROOOOOOOOM
VROOOM
È UNA FARFALLA CHE NON HO MAI VISTO.
VROOOM
VUOLE CHE FACCIA UNA RICERCA?
VROOOM
NO, VA BENE COSÌ.
VROOOM
SE FACESSI UNA RICERCA...
... SCOMMETTO CHE SCOPRIRESTI PERSINO COSE SULLA VITA PRECEDENTE DI QUELLA FARFALLA.
VROOOOOOOOOOOOOOOOM
NON MI VA.
È INTERESSANTE...
... MA ANCHE NOIOSO.

VROOOOOOOOM
VROOOM
VROM
VUOI PROVARE A GUIDARE?
NON È DIFFICILE GUIDARE NEL BEL MEZZO DI UNA FORESTA?
PER QUESTO È DIVERTENTE, NO?
TIKI TIKI TIKI TIKI
HO CAPITO.
VROOOM
CHE COSA?
COS'ERA IL TIKI TIKI DI PRIMA?
I NUOVI DATI SU NINA.
"LE COSE DIFFICILI SONO DIVERTENTI."
BASH

ALLORA ECCO QUALCOSA DI ANCORA PIÙ DIFFICILE!
VROOOOOOOOM
COSA FA?
VROOOM
CAMBIO DELL'AUTISTA.
PRENDI IL VOLANTE, HOSHIKUZU.
PAT
VROOOOOOMM
SE FERMASSIMO LA MOTO PER FARE CAMBIO...
... PERDEREMMO DI VISTA LA FARFALLA!
BASH

SWISH
HOP!
VROOOM
FAI CAMBIO CON ME, SBRIGATI.
VROOOM
SÌ.
VROOOM
VROOOM
VROOOM
VROOOM
VROOOM
OKAY...
LASCIO LA PRESA!
SÌ.
BASH
HOP!
VROOOOOM
VROOOOOM
ECCO, BRAVO!
VROOOOM
COSÌ.

VROOOOOOOOOOOOOOOOOOM
CHE BELLA SENSAZIONE.
VROOOM
TIKI TIKI TIKI TIKI TIKI TIKI TIKI TIKI TIKI
CHE TI PRENDE?
VROOOM
VROM
TIKI TIKI
STO SCARICANDO I DATI SULLE PRESTAZIONI DELLA MOTO E IL MANUALE D'ISTRUZIONI.
TIKI TIKI TIKI
EH?!
MA COSÌ FACENDO, LA TUA TESTA...
BASH

SBAM
ROLL
ROLL
ROLL
ROLL
ROLL
ROLL
TIKI
TIKI
TIKI
TIKI
CREECK
NINA,
STA
BENE?

CON PERMESSO.
PA
TIKI TIKI
LE PUPILLE NON SONO DILATATE.
CON PERMESSO.
PAFF
TIKI TIKI
PRESSIONE.
MASSIMA, 90. MINIMA, 80.
GROOOWL
GROWL
GROWL
GROWL
TIKI TIKI
HA FAME, VERO?
MI HAI SCOPERTA.
FRUSH

CHIEDO SCUSA.
TRANQUILLO.
BASTA AVERE QUESTO.
FRUP
ABBIAMO ANCHE PERSO DI VISTA LA FARFALLA.
TI PIACEVA?
ERA UN NAVIGATORE PREZIOSO.
ABBIAMO ROTTO LA MOTO...
... E PERSO LA FARFALLA. ACCIDENTI.
OH!
GUARDA CHE BEI FIORI!
PRANZIAMO QUI!

CLAP
GRAZIE PER IL PRANZO.
ERA DELI-ZIOSO.
BEI FIORI, ADORA-BILI UC-CELLINI...
COSA?
COSA?
COSA, COSA?
ARIA PULITA...

UNA GROTTA MISTE-RIOSA...
THUD
SWISH
TONK
TONK
TONK TONK TONK
TONK

ALLORA CI ENTRIAMO SUL SERIO.
TONK
TONK
OVVIO.
TONK
QUANDO CI SONO DEI SASSOLINI, VOGLIO LANCIARLI.
TONK
TONK
TONK
QUANDO C'È UNA FESSURA, CI VOGLIO ENTRARE.
SOLO LEI SI COMPORTA COSÌ, VERO?
TI SBAGLI!
CHIUNQUE LO FAREBBE!
GRAB
DAAAN
QUI DENTRO C'È SICURAMENTE QUALCOSA!
HOSHIKUZU, FAI LUCE!
SÌ.
CLACK
FLASH

È UN VICOLO CIECO.
...
UHM...
TROVATO!
HOSHIKUZU, FAI LUCE LAGGIÙ!
FLASH
È STRANO...
... CHE NON CI SIA NULLA.
UN ALTRO BUCO.
SBAGLIATO! È UN POZZO!
HUM, HUM, HUM, HUM...
HUM?

È SICURAMENTE COSÌ!
SONO CERTA CHE CI SIA QUALCOSA, QUI!
TIPO?
NON DEVI FARE RICERCHE.
CI ANDREMO CON LE NOSTRE GAMBE.
AGGRAPPATI A ME, HOSHIKUZU.
BUTTIAMOCI INSIEME!
VADO!
SÌ.
GRIIIP
YAAAH!
LA LA
LA LA

LA
LA
LA
LA
LA
LA
LA
LA
LO SAI, HOSHIKUZU?
SÌ?
LA
LA
LA
MI PIACI UN SACCO.
LA
LA
LA
LA
LA...
THUD
AH!
C'È UN ALTRO TUNNEL.
ANDIAMO!
TAP
TAP
SÌ.
TAP
TAP

ZAAASH
ZAAAAAAAAASH
NON C'È NIENTE.
...
FLAP
FLAP
FLAP

ZAAAAASH
VUOLE INSEGUIRLE?
NON POSSIAMO.
ZAAAAASH
PERCHÉ?
MI È VENUTO UN PO' SONNO.
ZAAAASH
YAWN!
ZAAAAASH
NON HAI SONNO ANCHE TU?
I ROBOT NON DORMONO.
TIKI TIKI
PERCHÉ LE PERSONE DORMONO?
PER CONTINUARE A SOGNARE.
(CAPITOLO 9) FINE

CAPITOLO 10
RINCORSA

PA-PA-PA!
BAM
STONK
RATTLE RATTLE RATTLE RATTLE RATTLE
FIIIX
DRIP
BASH
BLINK
PA-PA-PA-PA-PA!

BASH
TAP
TAP
TAP
TAP
ANF!
PUFF
ANF!
ANF!
ANF!
PANT
TAP
TAP
TAP
TAP
SWISH
DON
DON
SWISH
CLAP
CLAP
CLAP
CLAP
CLAP
CLAP
HO-SHIKU-ZU!
SLAM
CLACK
SÌ.
LOAD

ECCO NINA.
75 ANNI FA 6 APRILE
UFF...
SONO SALVO.
CREDEVO DI MORIRE.
SONO 25 MINUTI E 45 SECONDI.
RUI.
OH...
È UN NUOVO RECORD...
... DI "ASTINENZA DA NINA"!
SÌ.
...

BASTA COSÌ, HO-SHIKUZU.
SPEGNI NINA.
SÌ.
BASH
...
NON POSSO ESSERE FELICE PER UNA COSA DEL GENERE.
HO-SHIKUZU.
SÌ.
SÌ.
SWISH
A... A... A...
ASPETTA UN ATTIMO, HO-SHIKUZU.
ESISTONO VARI MODI PER LEGARE QUALCUNO.
LEGAMI!
BLINK
EH?!
GULP
TIKI TIKI TIKI

...
UMPF!
SNIFF
TIKI TIKI
"DEVO"?
UHN
UHN
UFF!
UMPF! UMPF!
"ANDARE AL"?
UMMMPF!
"WAAAH"?
...
FSSSH
"DEVO..."
"... ANDARE AL..."
"WAAAH"?
DATO CHE SEI UN ROBOT, MAGARI NON LO CAPISCI, MA...

... IO VOGLIO L'AMORE VERO.
...
MA NELLA NINA DEI TUOI RICORDI, QUESTO NON C'È.
TIKI TIKI
COS'È L'AMORE?
UH?
L'AMORE È QUELLA COSA LÀ.
COSÌ, ECCO.
È CALDO E...
E...
CERCATELO DA SOLO, IL SIGNIFICATO!
BLINK
SAI, A VOLTE...
BASH
BASH
BASH
... IL SOLO GUARDARTI MI FA VENIRE IN MENTE NINA!
QUINDI, PER POTER DIMENTICARE LEI...
... E TROVARE IL VERO AMORE...
... MI ALLONTANERÒ ANCORA DI PIÙ...
... DA TE!

TAP
TAP
TAP
TAP
TAP
TAP
TAP
TAP
TAP
TAP
TAP
TAP
TAP
SWISH
MI SONO ALLONTANATO PARECCHIO.
...
NON BASTA.
ANCORA DI PIÙ.

PAAA
PAAAA
TAP
TAP
TAP
TAP
WHOOOSH
TAP
TAP
SHAAAAAAA
SPLASH
SPLASH
SPLASH
SPLASH
BLUP BLUP BLUP BLUP
THUD
THUD
THUD
THUD
...
"PERCHÉ LE PERSONE DORMONO?"
"PER CONTINUARE A SOGNARE."
NINA...
PA-PA-PA!
PA-PA-PA!
PA-PA-PA-PA!
SPLASH
SPLASH
SPLASH

CRIII
CRIII
CRIII
FRUSH
FRUSH
FRUP
FRUP
FRUP
"È LA PRIMA VOLTA CHE MI FAI UN REGALO, VERO, HOSHI-KUZU?"
"NON SO CHE PIETRA SIA, MA..."
"... È TUTTA SCINTIL-LANTE!"
GRAB
MA PER-CHÉ?!
DON
DON
SWISH
SWISH
SWISH
BEN-TOR-NATO.
COSA...

L'ASTINENZA DA NINA...
... È DURATA 1 ANNO, 6 ORE, 27 MINUTI E 34 SECONDI.
EH?
...
D'ALTRONDE LA TERRA È ROTONDA, EH?
È RIUSCITO A DIMENTICARE NINA?
HA TROVATO IL VERO AMORE?
FAMMI FARE UN ALTRO GIRO.
FRUP
FRUP

MUMBLE
AH!
IL VERO AMORE!
DASH
BIP
00:01
CLACK CLACK CLACK CLACK CLACK
...
TI HO DETTO...
... DI NON PENSARE A NINA!
59 SECONDI E 52.
MENO DI UN MINUTO.
CLACK
SE LA SEGUENTE Σ È Σ (K=1,N) X=K, 0≤Y≤√K NEL RETICOLATO (1≤K≤N)...
UHM! UHM! UHM!
UHM!

OH! GUY!!
BANG
GNAM
GNAM
GNAM
GNAM
AH!
DI SICURO, L'AMORE È...
... MANGIARE!
GRAB
MANGIA! MANGIA!
MANGIA SENZA PENSARE A NIENTE!
GNAM
MI BASTERÀ MANGIARE CON TUTTO ME STESSO....
PERCHÉ FAI COSÌ?
PA-PA-PA!
WHOOOSH
CLACK
DI SICURO, L'AMORE È NUOTARE!
BANG

PA!
PA!
PA!
PA!
PA!
SPLASH
SPLASH
SPLASH
SPLASH
SWIRL
PA!
PA!
PA!
BLUB
BLUB
BLUB
BLUB
PA?!
BLUB
BLUB
BLUB
BLUB
CIAO!
DA QUANTO TEMPO!
GLUB
GLUB
GLUB
GLUB
GLUB
PA!
PA!
PA!

DI SICURO, L'AMORE È...
VROOOOOOOOM
... VO-LARE!
VROOOOOOM
* RUI
...
VROOOOOM
NINA.
SIAMO DENTRO A UN SOGNO, È INEVI-TABILE.
SFOR-ZARTI NON TI FA BENE.
PER-CHÉ NON PROVI CON PIÙ MODE-RAZIO-NE?
VROOM
CON MODE-RAZIO-NE?
...
GRR
VROOOOOOOM
BOOM
VROOOOOOOM
CON MODE-RAZIO-NE È IMPOS-SIBILE, NINA!
VOGLIO SMETTERE DI PENSA-RE A TE ALMENO PER UN MI-NUTO E UN SECONDO!

(CAPITOLO 10) FINE

CAPITOLO 11
SALTA!

COS'È QUESTO?
...
UN ANELLO!
SWISH
UHM...
UN ANELLO?
L'HO RACCOLTO POCO FA IN BAGNO, MA...
... SIAMO SICURI CHE SIA UN ANELLO?
NON È FORSE VERO CHE CIÒ CHE A PRIMA VISTA SEMBRA INNOCUO, IN REALTÀ È L'OGGETTO PIÙ SOSPETTO?
FRUUUP
NON C'È DUBBIO CHE IL SUO PROPRIETARIO SIA UNA SPIA.

* VIETATO L'ACCESSO

POPO PEPERON, SIGNORE!
GRAB
MMH...
SI DICE CHE TRA NOI, NEL NOSTRO CORPO DI DIFESA DELLO SPAZIO...
... CI SIA UNA SPIA APPAR-TENENTE ALL'ORGA-NIZZAZIONE DI DIFESA DELLA CHANNA SPAZIALE...
...
TE LO CHIE-DO DI NUOVO.
COSA C'È DI SOSPET-TO IN QUESTO ANELLO?
IO...
QUELLO NON È UN ANELLO.
UHM?
CO-S'HAI DETTO?
COME TI CHIA-MI?

* UN IMPASTO DI PESCE TIPO SURIMI DI FORMA CILINDRICA, N.D.T.

OH, ISSA.
CHIEDO SCUSA! ANCHE QUESTA, PER FAVORE!
CERTO. MA COS'È?
QUALCOSA CHE SEMBRA UN ANELLO.
CLANG
CON QUESTA ABBIAMO FINITO?
AH.
* RIFIUTI INDUSTRIALI, ARTICOLI NON UTILIZZATI, RIFIUTI INGOMBRANTI
OKAY!
BAM
VRRRRR
DUMP
VRR
GRAZIE PER PRIMA!
MI HAI SALVATAAA!
ROLL
FRUSH
ROLL
HUM.
SWISH
AH!

QUESTO È UN SEMPLICE ANELLO.
NON C'È BISOGNO DI ASSECONDARE LE STRONZATE DI QUEL MALEDETTO SUPERIORE.
E NON È NEMMENO NECESSARIO BUTTARE...
... QUEST'ANELLO.
EH?
EHM, ALLORA...
LO RESTITUIRAI AL LEGITTIMO PROPRIETARIO?
È UN PO' LARGO...
キュッ
WISH
AH!
VUOI COMMETTERE UN'APPROPRIAZIONE INDEBITA?!
NESSUNA APPROPRIAZIONE INDEBITA.
QUESTO È IL MIO ANELLO.
CI VEDIAMO.
...
CHE SIGNIFICA?!

È APPARSA LA CHANNA SPAZIALE!
MO MO MO MO MO MO MO
SERRATE LE FILA!
SCATTARE! SCATTARE!
SCATTARE! SCATTARE!
WHOOOM
NUMERO 11! SEI IN RITARDO!
SOGNI A OCCHI APERTI?!
NOSSIGNORE!
FORZA, SPARA!
SPARA FINCHÉ NON TI SVEGLI!
SISSIGNORE!
BANG BANG BANG BANG BANG
BOOOM!
AH...
BRUTTA IMBECILLE! COS'AVRESTI FATTO SE AVESSI COLPITO UN COMPAGNO?!
THUD
AHI...

* PROTAGONISTA DELL'OMONIMA OPERA DI HIROSHI FUJIMOTO, UNO DEI DUE CREATORI DI DORAEMON. "DOJI" SIGNIFICA "IMBRANATO", N.D.T.

HAI VISTO LE NUOVE RECLUTE?
SÌ, SÌ! C'È UN RAGAZZO CARINO!
QUELLO CON OTTIMI VOTI E CON LO SGUARDO IMPASSIBILE?
MI PIACE CHE NON SAI MAI COSA STIA GUARDANDO DAVVERO.
IL DIVINO RUI.
IL DIVINO RUI! IL DIVINO RUI!
PERMESSO.
OH, DOJI!
EHI, DOJI!
NON PENSI ANCHE TU CHE IL DIVINO RUI SIA BELLO?
...
DIVINO RUI?
CERTO CHE NO.
...
PERCHÉ?
NON SAI MAI COSA STIA GUARDANDO DAVVERO...
ODIO QUEGLI OCCHI.

ASPETTA UN ATTIMO.
FAI PARTE DELL'ORGANIZZAZIONE PER LA SALVAGUARDIA DELLA CHANNA SPAZIALE?
EH?
DA DOVE SALTA FUORI QUESTO?
NON C'ENTRA NIENTE, ORA!
QUELL'ATTEGGIAMENTO RIBELLE ...
... BASTA E AVANZA.
ANCHE SE LE TUE CAPACITÀ COME PILOTA SONO PARI A ZERO.
SGRUNT
SENTITE!
ME LA STO FACENDO ADDOSSO. POSSO ANDARE IN BAGNO?
NO.
NON POSSO LASCIARTI PASSARE.
È UN ORDINE DEL TUO SUPERIORE.

È ASSUR-DO!
PERCHÉ DEVO RI-FUGIARMI NEL BAGNO DEGLI UO-MINI?
URGH...
SONO DAWERO UN PILOTA?
SWOOSH
!
ME LA FACCIO ADDOS-SO!
GNEECK
...
SLAM
CLACK

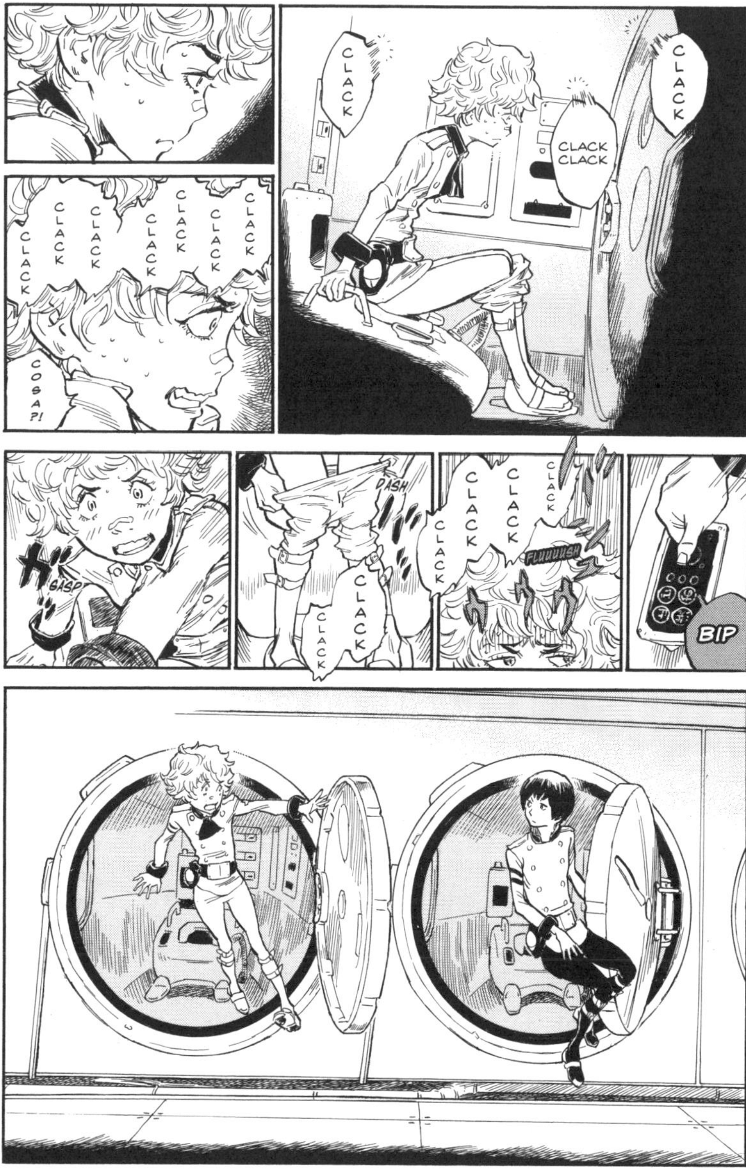

CLACK
CLACK CLACK
CLACK
CLACK
CLACK
CLACK
CLACK
CLACK
CLACK
CLACK
COSA?!
GASP
DASH
CLACK
CLACK
CLACK
CLACK
CLACK
CLACK
FLUUUUSH
BIP

MMH?
CO...
MA GUARDA.
DI NUOVO TU.
CO...
CO...
CO...
COSA STAI COMBINANDO?!
COS'ERA QUEL "CLACK CLACK CLACK" DAL BAGNO?!
...
QUESTO È IL BAGNO DEGLI UOMINI, GIUSTO?
GULP!
URGH...
URGH...
URGH...

STAVO SOLO FACENDO QUESTO.
UH?
UN CUBO DI RUBIK?
MI SERVE PER AMMAZZARE IL TEMPO QUANDO NON RIESCO A DORMIRE.
COSÌ FINISCO PER NON PENSARE A NIENTE.
MMH...
TERRÒ LA BOCCA CHIUSA SUL FATTO CHE TI TROVAVI NEL BAGNO DEI MASCHI.
CI VEDIAMO.
ASPETTA UN ATTIMO!
MMH?
CHE VUOI, ANCORA?
...
AH...

...
PER-CHÉ...
... SEI DIVEN-TATO UN PILOTA?
...
PER QUALE MOTIVO MI CHIEDI UNA COSA SIMI-LE, ALL'IM-PROVVISO?
...
PERCHÉ NON CAPI-SCO MAI COSA TU STIA GUAR-DANDO.
...

HAI DETTO CHE TI CHIAMI POPO?
TE LO DIRÒ DOPO CHE AVRAI RISPOSTO TU.
EH?
PERCHÉ DOVREI?
TI RIGIRO LA FRASE TALE E QUALE.
NEL MIO CASO, È SEMPLICE!
DIVENTARE UN PILOTA FIGHISSIMO...
... ERA IL MIO SOGNO FIN DA QUANDO ERO BAMBINA!
...
UHM...
NON RIDI?
DOVREI RIDERE?
NO! SE LO FAI, MI ARRABBIO!
AH, SÌ?
FORZA!
ORA TOCCA A TE! PERCHÉ SEI DIVENTATO UN PILOTA?
?
MI SENTO SOFFOCARE...

NON CAMBIARE DISCORSO!
RISPONDIMI COME SI DEVE!
OKAY.
SONO DIVENTATO UN PILOTA PER TROVARE IL VERO AMORE.
IL VERO AMORE?!
TU-TUM
ESATTO. IL VERO AMORE...
...
IL VERO AMORE...
CI SI VEDE.

WIIIIIN
WIIIIIIIIIIN
WIIIN
カチ
CLACK
LO SAPE-VO.
UFF ...
... PER-DENDO OSSI-GENO!
DA DOVE?
STIA-MO...
チャ
CLANG

UFF...
UFF...
UFF...
VSSSSSH
ECCOTI QUI!
?!
BASH
MALE-DETTO BUGIAR-DO!
POPO.

PARLI DI VERO AMORE...
E QUESTO COS'È?!
TI VOLEVI DIVERTIRE CON LE NOSTRE DUE SUPERIORI?!
È QUESTO IL VERO AMORE PER TE?!
UFF...
CI SONO.
CREDO DI CAPIRE COME HAI FATTO A DIVENTARE UN PILOTA.
COSA?!
GUARDA DAVANTI A TE.
PERCHÉ?
LASCIA PERDERE E FALLO.
UH?
EH?
COSA? CHE SIGNIFICA?!
NON È CHE MI DARESTI...
... UN PO' DI OSSIGENO?
UFF...
EH? CHE VUOI DIRE?
QUESTO.
GRAB

ガチッ
PCIU
FUUUUH
BAM
BWAH!
SBAM
FRUSH

CRACKLE
?!
THUD
THUD
WHACK
GRAB

EVVAI!
UFF...
POPO.
L'OS-SIGE-NO.
SÌ!
SUU...
FUUUH
...
BASH
BASH
WOSH
SBONK

È LAGGIÙ?
EVVIVA! EVVIVA! EVVIVA!
I FESTEGGIAMENTI A DOPO.
DOBBIAMO SBRIGARCI A RICHIUDERLO...
PRIMA SCOPRIAMO LA SUA VERA IDENTITÀ!
EH?
È LUI, VERO?
カチャ
CLACK
LA SPIA DELL'ORGANIZZAZIONE A DIFESA DELLE CHANNA SPAZIALI.
TA-DAN
AH!

ALLA SALUTE!
COMUNQUE, NON POSSO CREDERE CHE FOSSE QUEL SUPERIORE...
INCREDIBILE, EH?
ERA UN DEMONIO...
VERO?! UN BRINDISI!
AH!
TU NON BEVI, RUI?
LO STO FACENDO.
BEVI DI PIÙ!
OGGI È UN GIORNO SPECIALE!
SBALLIAMOCI DI PIÙ!
WHOOM
SDDF ALCOHOL
SDDF ALCOHOL

CHE COS'È...
... IL VERO AMORE?
SLUUUR SLUUUR SLUUUR
...
MI PRENDI PER IL CULO?!
BWAH
SEI TU QUELLA CON UN ATTEG-GIAMEN-TO DE-RISORIO.
MA COME?
IO TI PIACCIO, NO?
...
GRAB
KYAAAAH!
MI STA POR-TANDO VIA!
KYAH! KYAH!
BIP
BIP
PSSH

COS'È?
È LA CABINA DI PILO-TAGGIO DI UNA NAVI-CELLA.
QUESTO LO SO.
...
HO PENSATO CHE QUI AVRESTI POTUTO RINFRE-SCARTI LE IDEE.
E PER-CHÉ DO-VREI?
PER-CHÉ C'È QUAL-CO-SA...
... DI CUI VORREI PARLARTI SERIA-MENTE.
...
COSA?
UHM.
...
POPO.
ドキ
TU-TUM

TU POSSIEDI...
POSSIEDI UN'INCREDIBILE FORZA VITALE.
AL MASSIMO SONO UNA BOMBOLA D'OSSIGENO DI SCORTA.
AH! AH!
POTRESTI DIVENTARE UNO SPLENDIDO PILOTA.
...
VORREI AFFIDARTI UN MESSAGGIO.
UN MESSAGGIO?
C'È UNA PERSONA CHE VOGLIO INCONTRARE.

EH?
COSA?
HO PROVATO A... DIMENTICARLA...
MA NON CI RIESCO...
NON IMPORTA QUANTO CI PROVI...
NON POSSO DIMENTICARLA.
ECCO PERCHÉ...
CON QUESTO...
INVECE...
... MI SONO ACCORTO CHE HO SBAGLIATO....
... A PROVARE A DIMENTICARLA.
MA NON È FACILE INCONTRARE QUELLA PERSONA NELLA REALTÀ.
E PER AVVICINARMI A QUALCOSA CHE MI LEGASSE A LEI, ANCHE SOLO PER POCO...
... SONO DIVENTATO PILOTA.

NEL CASO DOVESSE SUCCEDERMI QUALCOSA...
... VORREI AFFIDARTI UN MESSAGGIO PER UN TIZIO.
DIGLI CHE QUELLA PERSONA...
NINA... IO NON SONO RIUSCITO A DIMENTICARLA, MA...
... NON LO RIMPIANGO AFFATTO.
...
MI STAI ASCOLTANDO, POPO?
BAM!
?!
MI CHIEDEVO CHE ESPRESSIONE STESSI FACENDO...
CHE CAVOLO È QUELLA FACCIA?

MO
MO
È APPARSA UNA CHANNA SPAZIALE!
UNA VERA!
MO
MO
MO
MO
MO
MO
QUATTRO ANNI DOPO...
QUESTA NON È UN'ESERCITAZIONE!
WHOOOOM
DOBBIAMO RIMANERE CONCENTRATI.
NON FATE STRONZATE COME FARVI CATTURARE DAI PESCI PICCOLI!
MO
MO
MO
LE TRUPPE SONO PRONTE, VERO?
FACCIO IL GIRO DAVANTI!
COMANDANTE POPO.
WHOOOM
UNA NAVICELLA NELLE RETROVIE SI STA AVVICINANDO A TUTTA VELOCITÀ.
WHOOOOM
EH?
AH!
CHI È QUELL'IDIOTA?

INGRANDI-MENTO
IDENTIFICAZIONE
RUI?!
CO...
COSA STA FA-CENDO QUEL CRETI-NO?!
FER-MATEVI TUTTI!
RUMBLE
BASH
RUI!
CHE RAZZA DI SCHERZO È?!
SWOOOSH
WHOOOOM
SE RESTI LÌ, CI SEI D'INTRALCIO E NON POS-SIAMO SPA-RARLE!
HAI CAPITO?
RISPONDI, RUI!
POPO.
MI RAC-COMANDO. LA COSA DI CUI ABBIA-MO PAR-LATO...
WHOOOM
?!

SWISH
SWISH
SWISH
HA RALLENTATO!
È TORNATO IN SÉ?
EH?

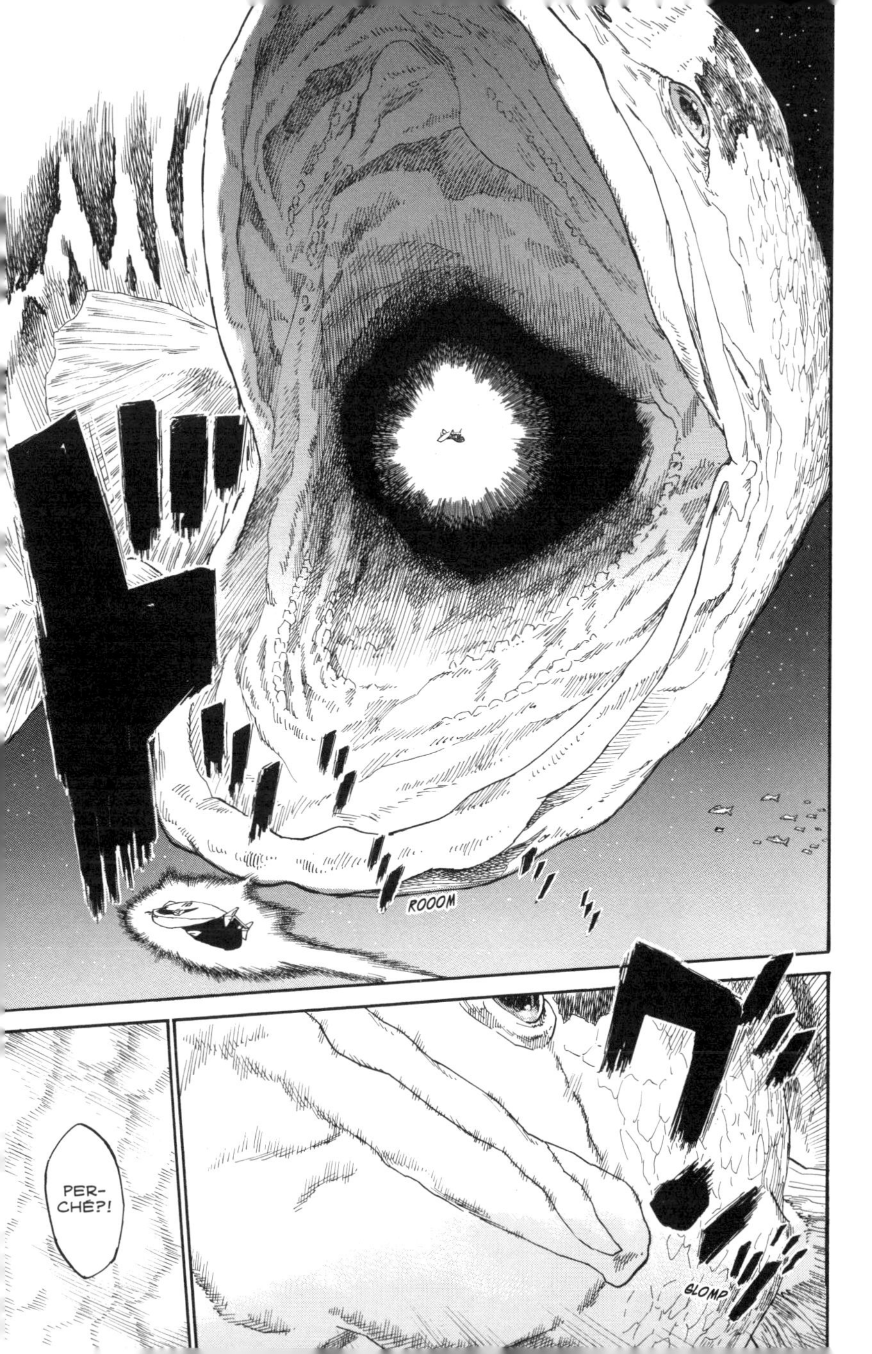
ROOOM
PER-
CHÉ?!
GLOMP

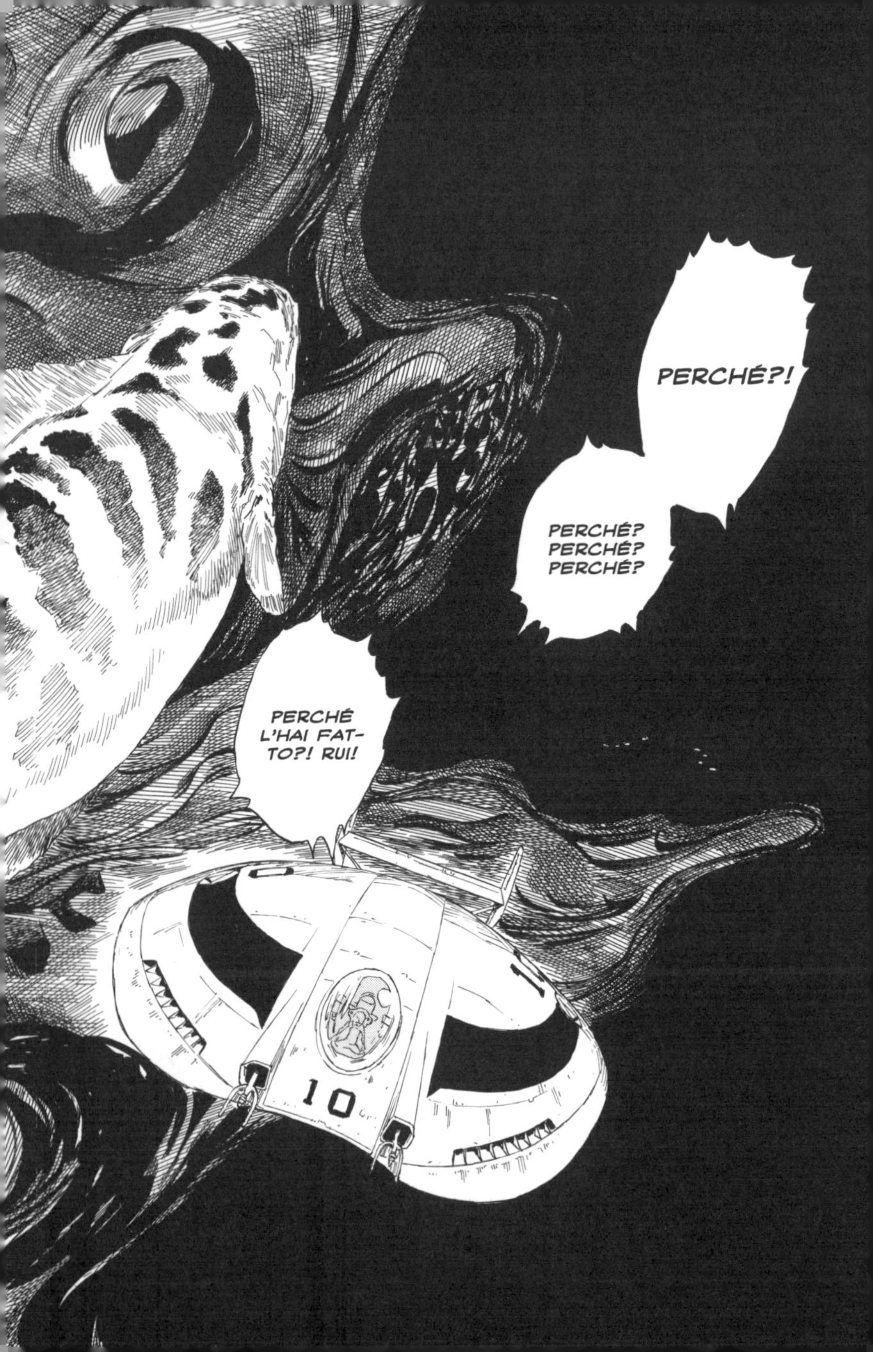
PERCHÉ?!
PERCHÉ? PERCHÉ? PERCHÉ?
PERCHÉ L'HAI FAT-TO?! RUI!
10

UN ANNO DOPO...
WOOOOSH
WOOOSH
FRUSH
CRACKLE

CLANG
...
WOOOOSH
DON
DON
DON
SWISH
SWISH
WHOOOSH
...
AH.
E ORA DEVO BATTE-RE LE MANI?
SBAM
CLAP
CLAP
CLAP
CLAP
FRUMP

RATTLE
RAAATTLE
...
T...
TU SEI IL ROBOT DI NOME HO-SHIKUZU?
SÌ.
TIKI TIKI TIKI
HO UN MES-SAGGIO PER TE.
WHOOOOOSH
RUI È ANDATO A INCON-TRARE NINA.
(CAPITOLO 11) FINE

CAPITOLO 12
UOMINI E DONNE

WHOOOSH
WHOOOSH
"RUI È ANDATO A INCONTRARE NINA"?
TIKI TIKI TIKI TIKI
COSA SIGNIFICA?
WHOOOSH
...
10 MAGGIO DI 22 ANNI FA, ALLE ORE 7:59 E 13 SECONDI.
NINA ESALÒ IL SUO ULTIMO RESPIRO.
NINA NON È PIÙ IN QUESTO MONDO.

ヒュ
ウ
BLINK
WHOOOOSH
WHOOOSH
CHI È LEI?
PERCHÉ NON PARLA?
くる
SWIRL
WHOOOSH
グイ
GRIP
RATTLE
RATTLE
RATTLE
RATTLE

TIKI TIKI TIKI TIKI TIKI TIKI TIKI TIKI
DIVENTI LA MIA NUOVA PADRONA!
BASH
THUD
WOOOOOSH
NON PRENDERMI PER IL CULO.
SWIRL
TAP
TAP
TAP
TAP
TAP
TAP

BAM
SEI COMPLETAMENTE FUORI DI TESTA!
ESCI DA LÌ!
SONO COSÌ DA PRIMA.
SNIK
COSA?
FRUSH
...
THUMP
DIVENTARE LA TUA NUOVA PADRONA?
IL TUO PADRONE È RUI, NO?
SEI UN ROBOT E TE LO SEI DIMENTICATO COMUNQUE?
OPPURE SEI UN PRODOTTO DIFETTOSO?
PAT
AH.
CLACK
UNA BATTERIA DEI GIORNI NOSTRI...
SEI SOLO UN PO' DATATO.
LA RINGRAZIO...
... PER AVERMI TIRATO FUORI.
FLIP
...

SARAI ANCHE DATA-TO...
... MA ALMENO CONOSCI LE BUONE MANIERE ...
...
CI SI VEDE.
WOOOSH
WOOOSH
DIVENTI LA MIA PADRONA!
WOOOOSH
WOOSH
TAP
TAP
TAP
TAP
PER L'ULTIMA VOLTA!
CHI È IL TUO PADRONE, ADES-SO?!
RUI.
UUUFF

E ALLORA PERCHÉ...
... MI CHIEDI DI DIVENTARE LA TUA PADRONA?
WOOOSH
GUARDA CHE IO NON HO PAZIENZA.
WOOOOSH
22 ANNI FA...
... NINA, LA PADRONA CHE HA PRECEDUTO RUI...
... PRIMA DI MORIRE, DISSE COSÌ.
"TROVATI UN NUOVO PADRONE".
...
E QUINDI?
"TU..."
"... RIMARRAI TUTTO SOLO. NON TI LASCERÒ NESSUNA BATTERIA."
AH! AH!
CHE CATTIVA!
"CHE CATTIVA, EH?"
... AGGIUNSE NINA.
...

"QUANDO SARÒ MORTA..."
"... AVRAI BISOGNO DI QUALCUNO CHE SI PRENDA CURA DI TE AL POSTO MIO."
"PERCHÉ..."
"... È SOLO RESTANDO INSIEME A UN PADRONE CHE POTRAI CRESCERE E IMPARARE."
"PERCIÒ..."
"... CERCATI UN ALTRO PADRONE."
...
DIVENTI LA MIA PADRONA.
COL CAVOLO.
RUI È VIVO, ORA?
O È MORTO?
NON È MORTO!
È SOLO DATO PER DISPERSO!
TIKI
TIKI TIKI TIKI...
COSA SIGNIFICA?

...
SIGNIFICA...
... CHE A ME, RUI...
... HA SOLO DETTO DI RIFERIRTI UN MESSAGGIO...
... NEL CASO GLI FOSSE SUCCESSO QUALCOSA.
CHI È LEI?
NON SAI NEMMENO QUESTO?
NO.
MI CHIAMO POPO. SONO UN PILOTA E UNA COLLEGA DI RUI.
TIKI TIKI
CHE SIGNIFICA "SE GLI FOSSE SUCCESSO QUALCOSA"?
TE L'HO DETTO...
IN PRATICA...
PER FARLA BREVE...
...
TANTO PER COMINCIARE, UNA VOLTA CHE UN ROBOT COME TE LO VERRÀ A SAPERE, COSA FARÀ?
SE RUI È MORTO, MI CERCHERÒ UN NUOVO PADRONE.

...
SIGH... MI FA MALE LA TE-STA.
PER OGGI ME NE TOR-NO A CASA.
IN TAL CASO, RI-MARRÒ AD ASPETTAR-LA QUI PER SEMPRE.
...
...
WOOOSH
ヒュウウウ
AH.... PER LA BATTE-RIA?
IN POCHE PAROLE, TI BASTEREBB-BE AVERE UNA BATTERIA PER ESSERE SODDISFATTO, GIUSTO?
È COSÌ?
BATTERIE NE HO.

EH?
TIKI
TIKI TIKI
IN QUESTO PUNTO.
ZASH
ZASH
ZASH
ZASH
ZASH
ZASH
ZASH
COSA FAI?
TRE GIORNI FA, IL TEMPIO CHE ERA QUI È STATO SPAZZATO VIA DAL TIFONE, MA...
... LE BATTERIE CHE RUI MI HA SPEDITO DOVREBBERO ESSERE QUI.
ZASH
ZASH
ZASH
...
RUI AVREBBE FATTO UNA COSA DEL GENERE?
D'ACCORDO. CERCHERÒ ANCH'IO INSIEME A TE.
ZASH
LA RINGRAZIO.
ZASH
ZASH
ZASH
ZASH

* STRUMENTO A PERCUSSIONE IN LEGNO A FORMA DI PESCE, ORIGINARIO DELLA CINA, N.D.T.

ZASH
ZASH
...
ZASH
EHI, TU.
HAI DETTO CHE TI CHIAMI HOSHIKUZU?
CHE TIPO DI PERSONA ERA NINA?
TIKI TIKI...
TIKI TIKI TIKI TIKI TIKI TIKI TIKI TIKI TIKI...
COSA SIGNIFICA "CHE TIPO DI PERSONA ERA"?
...
ERA UNO SCHIANTO?
TIKI TIKI TIKI
TIKI TIKI
CHE SIGNIFICA "SCHIANTO"?
OH, UFFA!
ALLORA, DIMMI, DI COSA PARLAVA? A COSA PENSAVA?

85 ANNI FA, NINA DISSE...
"LA COLAZIONE È IMPORTANTISSIMA, VERO?"
"SAI, OGGI..."
"... VOGLIO FARE QUALCOSA DI ENTUSIASMANTE PER TUTTO IL GIORNO!"
"OPPURE HAMMICI PENHARE..."
"MUNCH MUNCH"
"CHE NE PENSI?"
COS'ERA QUEL BORBOTTIO?
PERCHÉ STAVA MANGIANDO.
...
C'È ALTRO?
TIKI
78 ANNI FA, NINA DISSE...
"ANCHE SE SEI UN ROBOT, NON SEI COSTRETTO A LAVORARE!"
"TU SEI UN MEMBRO DELLA FAMIGLIA!"
...
MMH ...
A ME SEMBRA UNA ROMPIPALLE.
COSA CI TROVA IN UNA COSÌ?
NON SAPREI. DOVREBBE CHIEDERLO A RUI.

WAAAH...
ANCHE IN PASSATO ERA UNO CHE PENSAVA TROPPO...
TAP
POPO.
UHM?
HO TROVATO LE PILE.
AH!
CHE FORTUNA, EH?
E CON QUESTO, ANCHE IL MIO COMPITO SI È CONCLUSO.
È SUCCESSO QUALCOSA A RUI?
LA PREGO, ME LO DICA.
QUANDO LE PERSONE MUOIONO, VANNO IN PARADISO, SAI?

SIGH...
PECCATO CHE I ROBOT NON POSSANO ANDARCI...
INSOMMA!
PENSI CHE RUI POSSA INCONTRARE NINA ALL'ALTRO MONDO SE MORISSE, GIUSTO?!
IN FONDO TI SEI GIÀ DIMENTICATO DI LUI E STAI CERCANDO UN NUOVO PADRONE!
TIKI TIKI
COSA SIGNIFICA?
TIKI TIKI TIKI TIKI TIKI
CIÒ CHE LEI CHIAMA "ALTRO MONDO" ESISTE DAVVERO?
...

È GIOR-NO!
È SUCCES-SO QUAL-COSA A RUI?
...
DEVE ESI-STERE.
NON PUÒ MORIRE LA-SCIANDO LE COSE COSÌ COME SONO.

...
E QUESTO È QUANTO.
WOOOOOOOOOOOOOOOSH
TIKI TIKI TIKI TIKI
C'È LA POSSIBILITÀ CHE RUI SIA ANCORA VIVO.
WOOOOOSH
EH?!
GASP
WOOOOOOOOOOOSH
TIKI TIKI TIKI TIKI TIKI TIKI
PRIMA DI TUTTO...
ANDIAMO A SALVARE RUI.
EH?!
AH...
DOVE?!

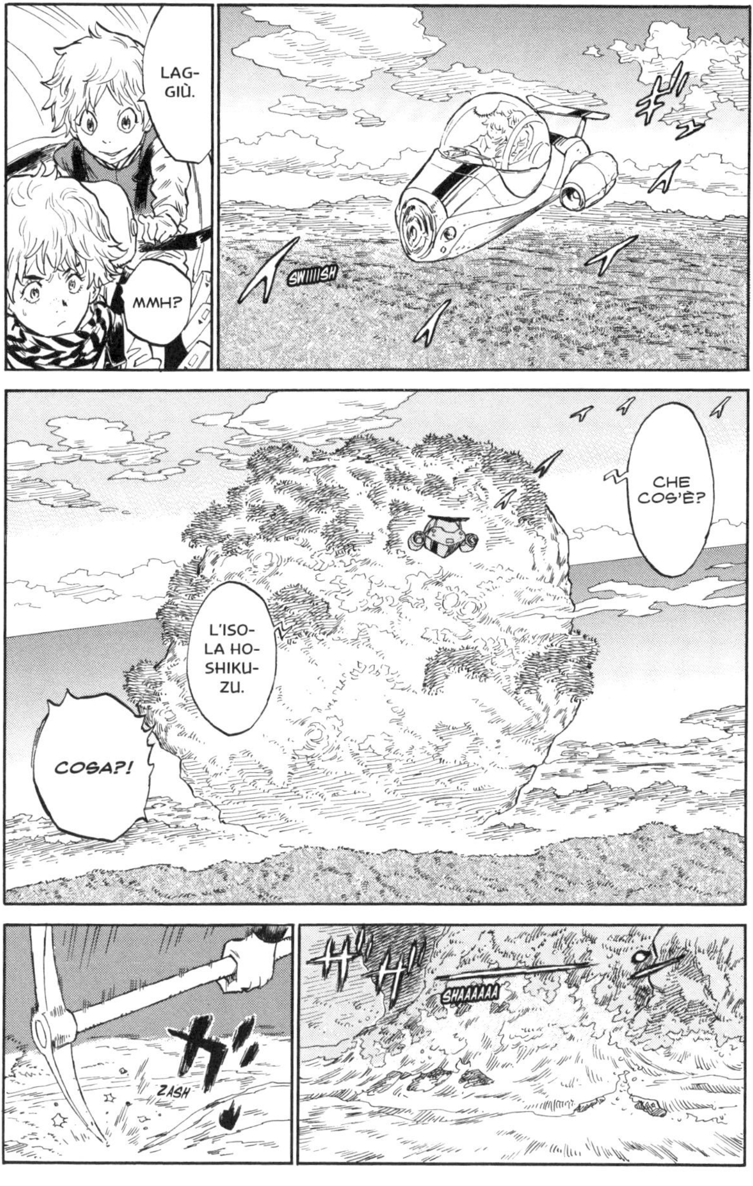
SWIIIISH
LAG-GIÙ.
MMH?
CHE COS'È?
L'ISO-LA HO-SHIKU-ZU.
COSA?!
SHAAAAAA
ZASH

EHI! CHE STAI COMBINANDO?
STAI DI NUOVO SCAVANDO?
ZASH
ZASH
SÌ.
ZASH
ZASH
ECCOLA.
CO...
COS'È?
TA-DAN
SPARKLE
SPARKLE
IL MANGIME PER LA CHANNA SPAZIALE.
SPARKLE
SPARKLE
COSA?!
ADESSO...
... MI PORTI CON LEI NELLO SPAZIO.
COOOOSA?!

MO MO MO MO MO
È APPARSA LA CHANNA SPAZIALE!
È APPARSA LA CHANNA SPAZIALE!
CINQUE ANNI DOPO...
NON POSSO CREDERE...
... CHE RUI SIA ANCORA LÌ DENTRO.
WHUN WHUN WHUN
EHI, HOSHIKUZU.
PUOI ANCHE USCIRE.
POP
84 ANNI FA IL SIGNOR TAIHEI DISSE...
"HUGAH! GAH! GAH! HUGAH! HUGAH! HUGAH!"
AH! AH!
ERA STRANO FORTE!
GRIP
ANDIAMO, HOSHIKUZU!

WHOOOOM
COMANDANTE POPO.
COS'È SUCCESSO?
A TUTTE LE TRUPPE! RIMANETE IN ATTESA!
WHOOOM
GLI STO DIETRO.
VAI, HOSHIKUZU!
CLACK
SÌ.
BASH
MO
MO
MO
MO
MO
MO
MO

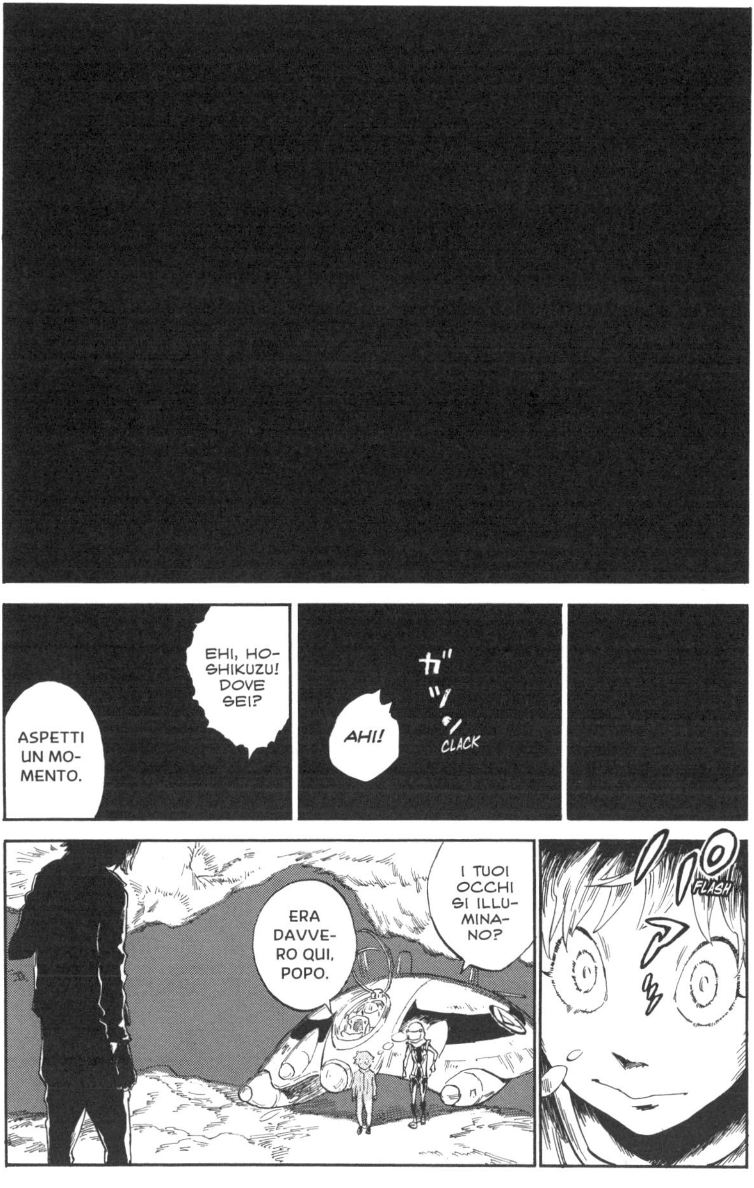

CLACK
AHI!
EHI, HOSHIKUZU! DOVE SEI?
ASPETTI UN MOMENTO.
FLASH
I TUOI OCCHI SI ILLUMINANO?
ERA DAVVERO QUI, POPO.

ガポ
FLAP
RUI...
CIAO, POPO. QUANTO TEMPO.
TI HO SCAMBIATA PER NINA. AH! AH! AH!
...

SLAAAP
COS'È, SEI MEZZO ADDORMENTATO?! CRETINO!
...
NINA! NINA! NINA!
NINA! NINA!
FORZA, DIMMELO!
COSA C'È DI COSÌ BELLO IN NINA PER ARRIVARE A RIDURTI IN QUESTO STATO?!
...
LA PRIMA VOLTA CHE HO VISTO NINA...
... IL MIO CUORE HA INIZIATO A BATTERE.
SBONK
DATTI UNA SVEGLIATA!

(CAPITOLO 12) FINE

CAPITOLO 13
GIORNI D'AMORE E DI SALUTE

SPLASH
SPLASH
SPLASH
SPLASH
SPLASH
SPLASH
SPLASH
EXIT
SPLASH
SPLASH
...
SPLASH
SPLASH
SPLASH
SPLASH
SPLASH
SPLOSH

AHI!
SPLOSH
SPLOSH
SPLOSH
SPLOSH
SPLOSH
SPLOSH
SPLOSH
SPLOSH
SPLASH
DEVE DIRMI QUAL-COSA?
VROOOOM
NINA!

IL MIO NOME NON È NINA.
HA SBAGLIATO PERSONA.
EH?
NO.
COSA?
IO MI CHIAMO RUI.
EHM...
UH?
CHE STRANO...
NON SEI NINA?
...
LASCIA CHE TI TOCCHI UN POCHINO.
VROOOOM
AH.

A-SPET-TA!
NON È COME SEMBRA!
SPLASH
SPLASH
GRAB
DASH
DASH
TOCCAN-DOTI, POS-SO CAPIRE SE TU SIA NINA O MENO.
E VORREI ANCHE PARLARTI, SE POS-SIBILE.
VROOOM
...
C'È UNA COSA CHE VOGLIO DIRTI!
BUH!

* TEMPIO NANAKAMADO

NINA È MORTA 27 ANNI FA...
RUI.
LO SO.
TIKI TIKI
UN MIRAGGIO?
...
SÌ.
POTREBBE ESSERE.
MAGARI ERA UNA CHE LE SOMIGLIAVA.
ULTIMAMENTE NON HO PIÙ GUARDATO NINA, PERCIÒ...
... MI MANCAVA.
SONO ANDATO A RIFORNIRMI DI BATTERIE IN CITTÀ.
GRAZIE MILLE.
ZZZ...
RONF
RONF

TIKI
TIKI
TIKI
TIKI
TIKI
UN ANNO FA...
FLAP
BASH
DOV'È RUI?!
DOBBIAMO SCAPPARE NON APPENA LA CHAN-NA APRE LA BOCCA!
VAI A CERCARE RUI, HO-SHIKUZU!
SÌ.
MI RAC-CO-MAN-DO!
TAP
TAP
TAP

RUI.
LASCIAMI IN PACE.
TIKI TIKI TIKI
SE NON APPROFITTI DI QUEST'OCCASIONE, QUANDO MAI POTRAI TORNARE...
... SULLA TERRA?
CHE NE SO?
IO...
... MARCIRÒ IN QUESTO POSTO...
... INSIEME AI RICORDI DI NINA.
TIKI TIKI TIKI TIKI
DASH
GRAB

RUI.
SE È QUELLO CHE VUOI, FA' PURE.
QUESTO È CIÒ CHE VORREI DIRTI, MA...
SE SONO RIUSCITA AD ARRIVARE FIN QUI È STATO GRAZIE A HOSHIKUZU.
QUINDI TI PORTERÒ IN SALVO CON LA FORZA.
NON LO FACCIO PER TE.
GRIP
LO FACCIO PER LUI.
SBONK
E CON QUESTO, SI CONTINUA...
... CON IL GRANDE PIANO PER LA SALVEZZA DEL NOVELLINO RUI.

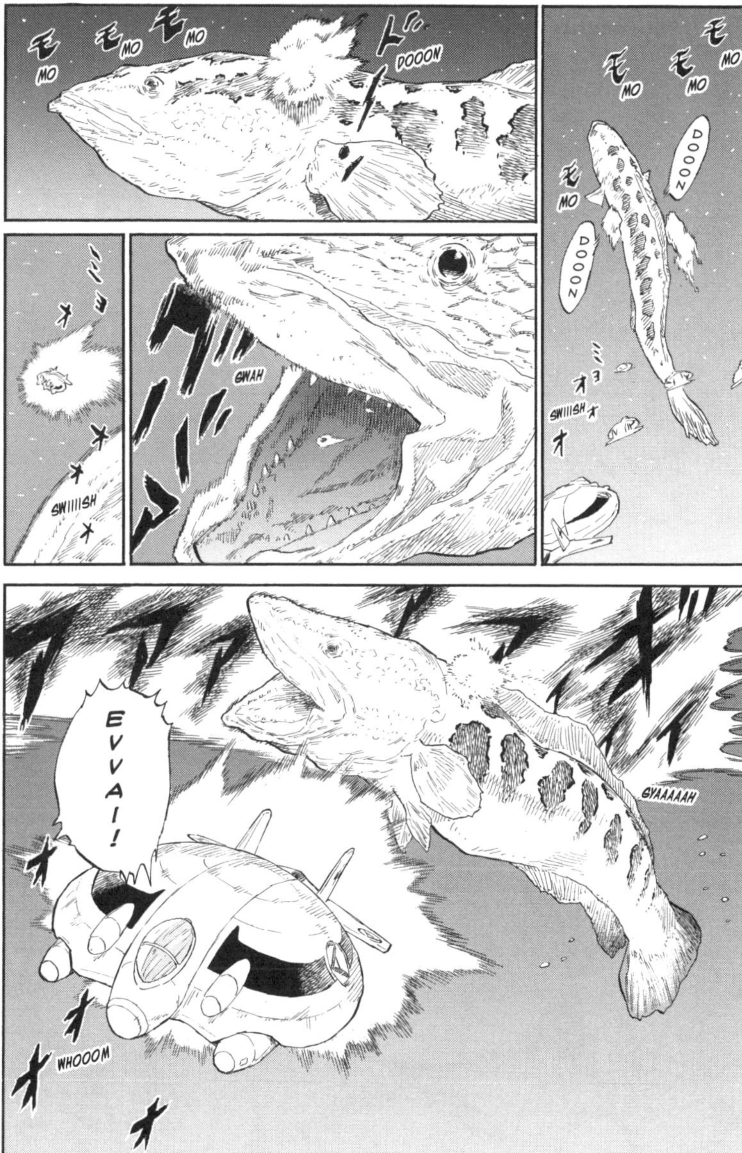
MO MO MO MO
DOOON
DOOON
SWIIISH
MO MO MO
DOOON
GWAH
SWIIIISH
EVVA!!
GYAAAAAH
WHOOOM

AH! AH! AH!
COME CI SI SENTE A PROVARE IL BRIVIDO DEL PERICOLO DOPO TANTO TEMPO, RUI?
...
SIGH...
BENE, HOSHIKUZU.
TI AFFIDO RUI.
E LEI, POPO?
CHE FARÀ D'ORA IN POI?
TORNERÒ AL LAVORO.
ORA COME ORA...
... PER ME QUESTO È TROPPO DA SOPPORTARE.

CIP
CIP
CIP
CIP
FIX
BUONGIORNO.
HO FATTO UN SOGNO.
HA DI NUOVO SOGNATO NINA?
...
NO.
HO SOGNATO POPO.

SEI MESI DOPO ...
FINITO.
CLACK
GLU
GLU
GLU
GLU
AAAH
THUD
QUANT'È BUONA, L'ACQUA!
UFF ...
ERA NINA CHE NON REGGEVA L'ALCOL?
TIKI TIKI
NON ERA NINA.

CHISSÀ COSA STARÀ FACENDO POPO?
VUOLE CHE FACCIA UNA RICERCA?
...
SÌ, PER FAVORE.
TIKI TIKI TIKI TIKI TIKI TIKI TIKI TIKI
TIKI TIKI TIKI TIKI TIKI TIKI TIKI TIKI TIKI...
LO SAPEVO, È INUTILE.
DI QUESTI TEMPI, È ANCHE DIFFICILE TROVARE LE BATTERIE...
ANCHE SE SEI UN ROBOT...
... SEI DATATO.
SÌ.
...
FORSE LO SONO ANCHE IO.

ザ" ZASH
ザ" ZASH
ザ" ZASH
ザ" ZASH
ザ" ZASH
SNIFF
ザ" SWISH
ザ" SWISH
ザ" SWISH
ザ" ZASH
ザ" ZASH
ザ" ZASH
ザ" ZASH
ザ" ZASH
ザ" ZASH
DASH
HO-SHIKUZU! ADES-SO!
ザ" ZASH
ザ" ZASH
ザ" ZASH
ザ" ZASH
ザ" ZASH
ザ" ZASH
ザ" ZASH
DASH
SÌ.
HIIISSS
BAM
あ GASP

ZOCK
ZOT
ZOT
ZAC
ZAC
ZAC
ZAC
L'HO CATTU-RATO.
...
AH! AH! AH! AH!
SEMMAI SEI TU A ESSERE STATO CATTU-RATO!
BE', NON IMPORTA-TA.
FINAL-MENTE CENERE-MO CON DELLA CARNE, HO-SHIKUZU!
IO NON POSSO MANGIA-RE.
UH?
...

NINA!
TIKI TIKI TIKI
TIKI TIKI TIKI
TIKI TIKI TIKI
ZAC
ZAC
ZAC
ZAC
TIKI
TIKI TIKI
TIKI TIKI
TIKI TIKI
FRUSH
FRUSH
FRUSH
FRUSH
TIKI
FRUSH

SEI APPARSA DI NUOVO DI FRONTE A ME.
TI RINGRAZIO.
SO CHE È EGOISTA, MA...
... C'È UNA COSA CHE VOGLIO DIRTI.

IO TI AMAVO.
TI...
... AMA-VO.
È UNA COSA DI TANTO TEMPO FA.
TIKI
TIKI TIKI TIKI TIKI TIKI TIKI TIKI TIKI
TIKI TIKI TIKI...

TIKI
PERCHÉ NINA È...
ZAC ZAC
GRIP
GRAB
HISSS
STUD
ZASH
ZASH
ZASH
ZASH
ドタ
STOMP
ZOT
TIKI TIKI
PERCHÉ NINA È...
NON DOVREBBE ESISTERE IN QUESTO MONDO.
ブラ
FLAP
ブラ
FLAP
ブラ
FLAP

RUI.
IO...
... SONO UN MI-RAGGIO, SAI?
FRUP
FRUP
FRUP
SWISH

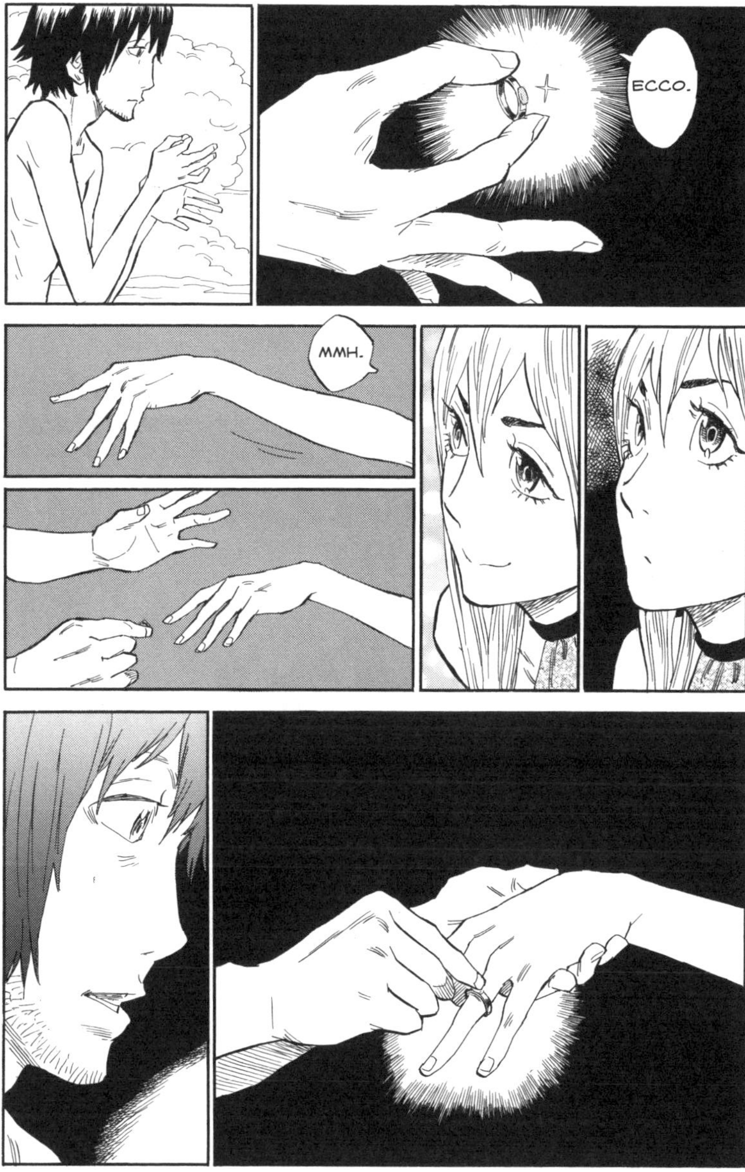
ECCO.
MMH.

...
POTREI ESSERE UNA CHE LE SOMI-GLIA.
FORSE PER TE È TROPPO DA SOP-PORTARE, MA...

CHISSÀ DA QUANDO...
... HAI INIZIATO A PIACERMI?
CHE FARAI QUANDO NON RIUSCIRAI A DORMIRE?

MMH...
HO PERSO IL MIO CUBO DI RUBIK.
POTRESTI...
... SCOLARTI DELL'ALCOL IN UN COLPO SOLO E CROLLARE ADDORMENTATO. È SALUTARE, SAI?
VACCI PIANO, VISTO CHE NON REGGI L'ALCOL.
FRUSH FRUSH
ALLORA BEVIAMO INSIEME!
A DIRE LA VERITÀ, IO NON POSSO BERLO.
EH?!
SCHERZI?!
MA DAI...
NON LO SAPEVO...
L'HO TENUTO NASCOSTO.
NASCOSTO?
PER FARE IL FIGO?
...

BAM
BAM
GRIIP
E HAI TENUTO NASCOSTO ANCHE IL FATTO...
... CHE TI PIACEVO?
...
WAH!
DASH
TAP
SWISH
SWISH
SLIP
BAM
CHE SCHERZO DI PESSIMO GUSTO.
SWISH
ADESSO VA DI MODA TRAVESTIRSI?
FRUSH

CHI SEI TU?!
CHI SEI TU?!

SONO IO! POPO!
NON L'AVEVI CAPITO?!
EH?!
STAI SCHERZANDO?
ERA SOLO UNA PARRUCCA?
EHM...
...
SIGH...
AH.
SCUSA.
BAM
WAH!
MMH.

HOSHIKUZU.
ORA PUOI USCIRE.
SÌ.
ZASH
C'È QUALCOSA CHE VUOI CHIEDERE A RUI, NO?

HA TROVATO IL VERO AMORE?
RUI.
SÌ.
TIKI TIKI
...
GRAB
CHE VUOI?

(CAPITOLO 13) FINE

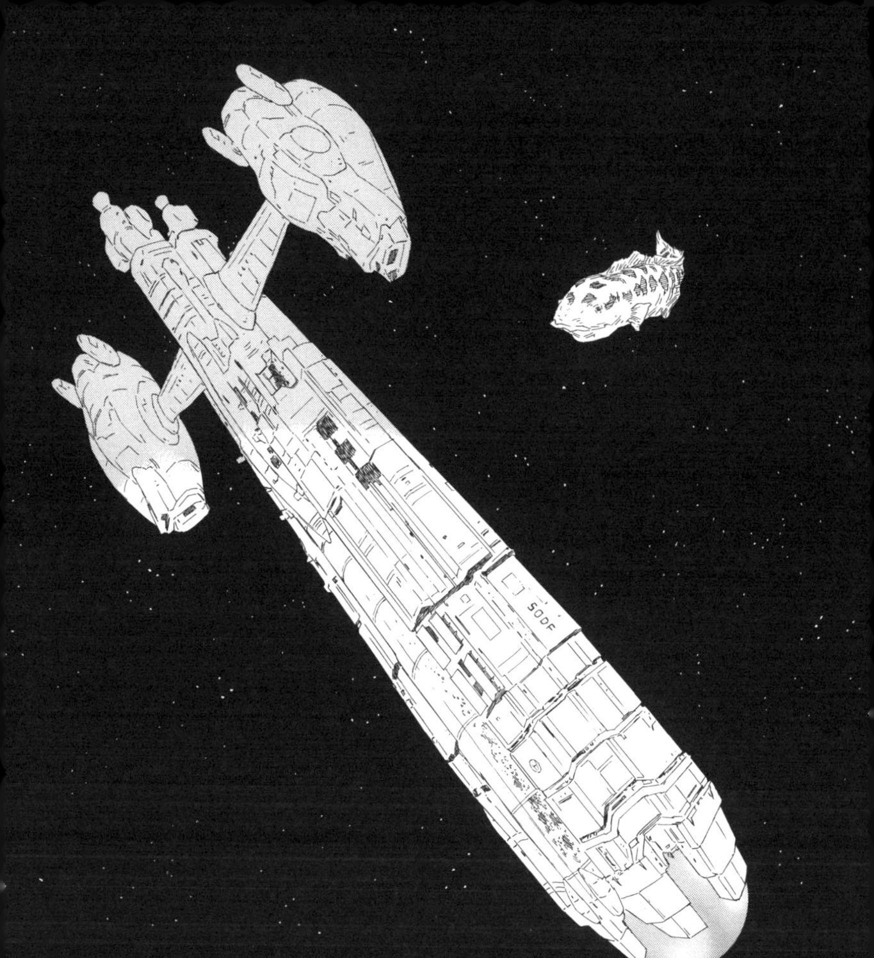

CAPITOLO 14

LA LEGGE DELLO SPAZIO

MO.

SWIIISH

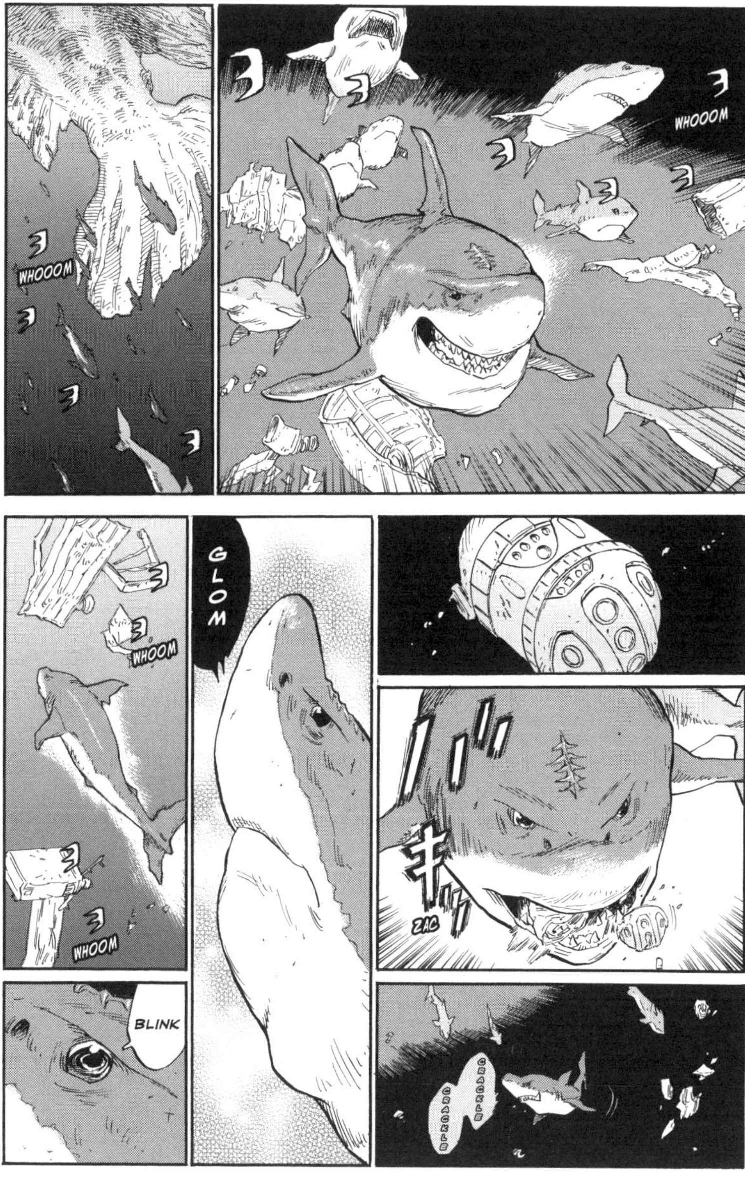
WHOOOM
WHOOOM
WHOOM
WHOOM
GLOM
ZAC
BLINK
CRACKLE
CRACKLE

WHOOM
?!
WOSH
BAM
GAH
GRR
GRR
GRR
GRR
WHOOM
SNAP
...

WHOOOM
WHOOOM
WHOOM
ピタ
SBAM
UFF
ガジ
CRUNCH
CRUNCH
CRUNCH
CRUNCH
CRUNCH
CRUNCH
CRUNCH
CRUNCH
GLOM
WHOOOM
BURP
BAM

ZAC
CLACK
DON
DON
DON
ドドド
FRUP
FRUP
FRUP
ギギギ
WING
ガオオオ
GRRR
WHIIIIN
STUMP

TIKI

CLACK
DOVREI ESSERE NEL BEL MEZZO DELLA MANUTENZIONE.
CLACK
CLACK
PIC
TIKI TIKI TIKI TIKI TIKI
RUI.
POPO.
FRUMP

PIPPI.
TIKI
QUESTI ROTTAMI...
SEMBRA QUASI CHE CI SIA STATA UNA BATTAGLIA.
TIKI
BAM
BAM
BAM
THUD
C'È QUALCUNO?

I ROBOT NON POSSO-NO SALIRCI DA SOLI.
BIP
NON HANNO LASCIATO DETTO NIENTE?
BIP
BIP
BIP
FRUMP
RECORDE DO NOT OPE
È LA TUA MEMORIA, VERO?
BIP BIP BIP BIP BIP BIP
BOOOM
DASH

TIKI TIKI TIKI TIKI
SE RACCOLGO QUESTE MEMORIE...
... POTREBBE SUCCEDERE QUALCOSA.
THUD
BAM
BAM
BAM
POTREI SCOPRIRE DOVE SONO FINITI RUI E GLI ALTRI.
GRIP
BAM
BAM
HANNO LASCIATO DETTO QUALCOSA?
BIP
BIP
BIP
BIP
FRUMP
BIP BIP BIP BIP BIP BIP BIP
BOOOM

GNICK
GNICK
GNICK
POFF
RECORDER
NE HO RACCOLTE UN SACCO.
SONO DIMAGRITO?
CHOMP
SWISH
RECORDER
CLACK
VRRR
SONO INGRASSATO?
TIKI TIKI TIKI TIKI TIKI TIKI
TIKI TIKI TIKI TIKI TIKI TIKI

13 ORE FA UN GRUPPO DI CHANNA SPAZIALI SI SONO AVVICINATE.
A QUANTO PARE C'È STATA UNA BATTAGLIA PER RESPINGERLE.
RUI E GLI ALTRI AVREBBERO DOVUTO ESSERE SULLA NAVICELLA AMMIRAGLIA.
SWUN
THUD
THUD
THUD
THUD
THUD
TIKI
DASH

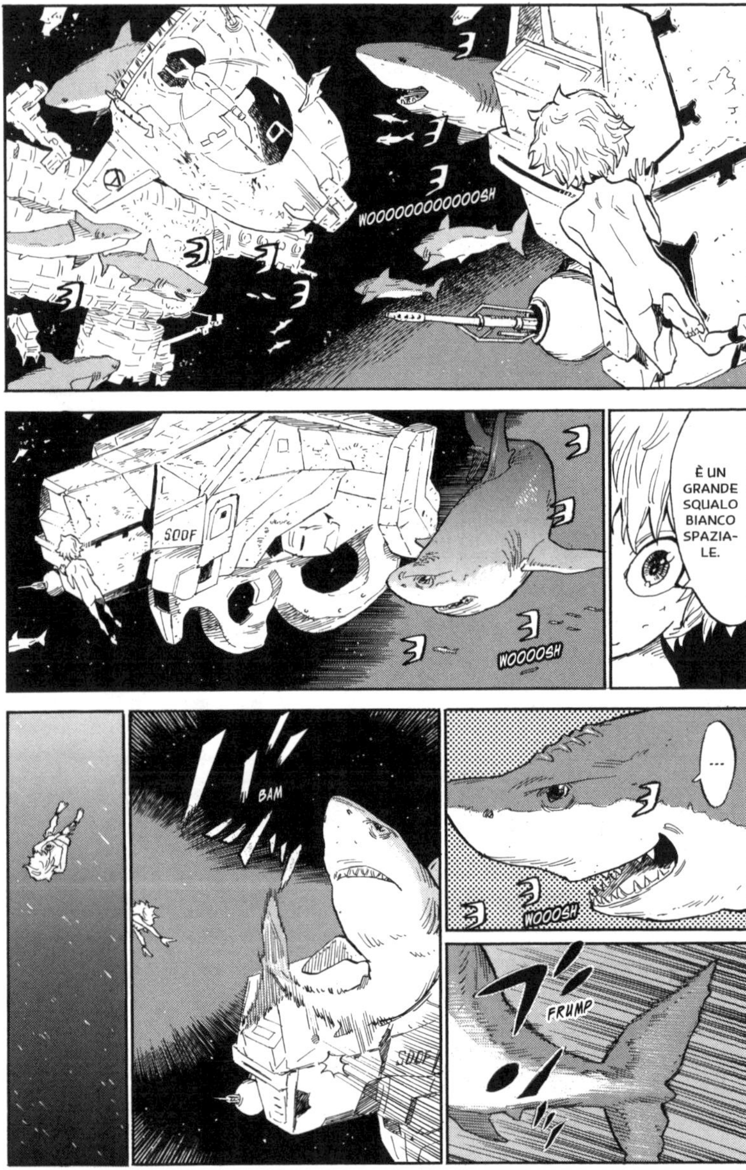
WOOOOOOOOOOOOSH
È UN GRANDE SQUALO BIANCO SPAZIA-LE.
SODF
WOOOOSH
...
WOOOSH
BAM
SODF
FRUMP

SNAP
CRUNCH
CRUNCH
CRUNCH
CRUNCH
CRUNCH
CRUNCH
CRUNCH

LA! LA! LA! ♪
LA! LA! ♪

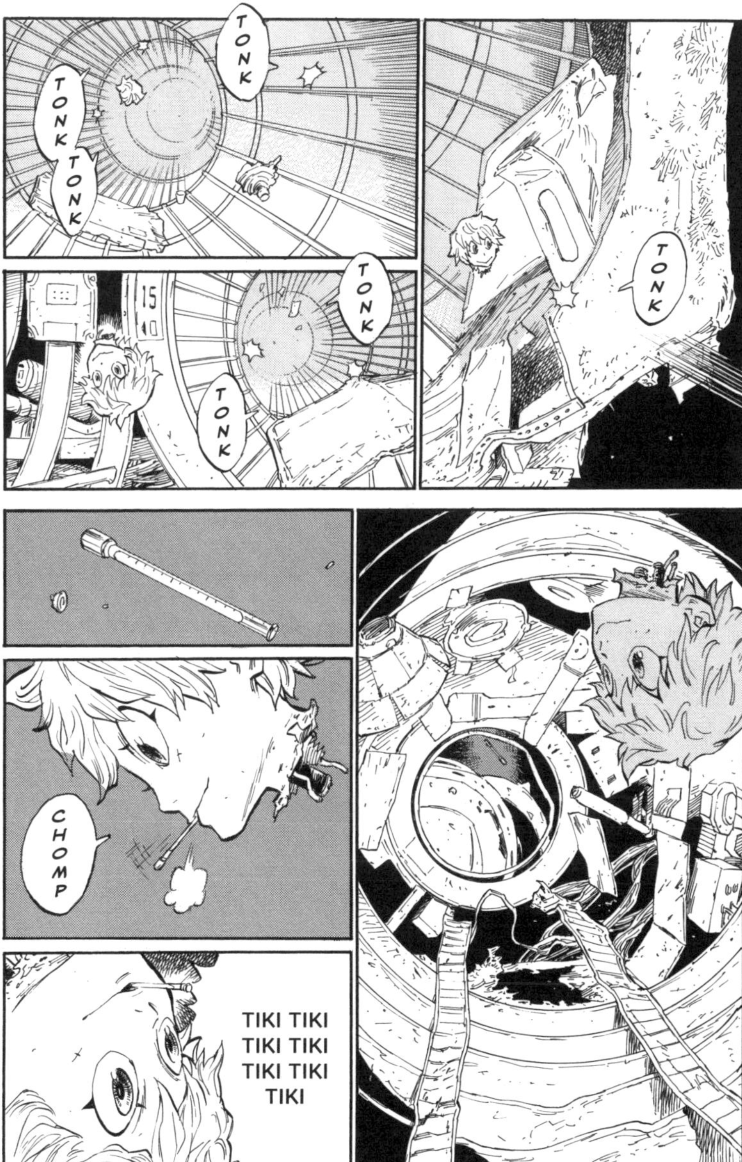
TONK
TONK
TONK
TONK
TONK
TONK
TONK
CHOMP
TIKI TIKI
TIKI TIKI
TIKI TIKI
TIKI

13 ORE PRIMA...
WIIIN
HAI CAPITO?
ASCOLTA CIÒ CHE TI DIRÀ LA GENTE DEL FUTURO.
WIIIN
E TU E LA MAMMA?
IL PAPÀ E LA MAMMA NON POSSONO VENIRE CON TE.
WIIIN
...
...
NON VOGLIO!
STERMINARE LE CHANNA SPAZIALI È IL NOSTRO LAVORO.
NON PIANGERE.
WAAAAAAAH
あ
あ
あ
あ
SEI NOSTRA FIGLIA, NO?

WIIIN
...
MAMMA!
WIIIN
NON ABBIAMO PIÙ TEMPO.
WIIIN
WIIIN
DOVE?
DOVE?
...
OH-HO!
EH?!
MI È CADUTO L'ANELLO.
WIIIN
WIIIN
SBAM
RESCUE
WIIIN
15
WIIIN
WIIIN
WIIIN
ADDIO, PIPPI.
WIIIN
WOSH
ORA TOCCA A HOSHIKUZU.

GRAB
CRIIICK
VRRRRRRRR
CRACK
VRRRR
CLACK
FIUUUN
TIKI
TIKI TIKI
TIKI TIKI
TIKI
ECORDER
NOT OPEN
TIKI TIKI
TIKI TIKI
TIKI TIKI
TIKI TIKI

STAVO PENSANDO...
FARE BAMBINI SIGNIFICA LASCIARE UNA PROVA DELLA PROPRIA ESISTENZA NEL LORO SANGUE.
MA ANCHE SENZA BAMBINI...
RIMANENDO PER CONTO PROPRIO, CI SARANNO MOMENTI IN CUI CI SI SENTIRÀ SOLI...
... MA QUESTO SUCCEDE ANCHE SE SI È IN COPPIA.
NON SI TRATTA DI INIZIARE AD AMARE QUALCUNO CHE ODIO.
SEMPLICEMENTE, È UN TIPO STIMOLANTE E DIVERTENTE.
VOGLIO PASSARE TUTTA LA VITA A FARE COSE SPASSOSE.
LA NOIA È MIA NEMICA!
QUANDO SARÒ SUL PUNTO DI MORIRE...
... SONO SICURA CHE DIVENTERÒ UN'ALTRA PERSONA, COMPLETAMENTE DIVERSA DA COME SONO ORA.
LA MIA TESTA, IL MIO CORPO... ANCHE IL MIO MODO DI PENSARE.
TIKI

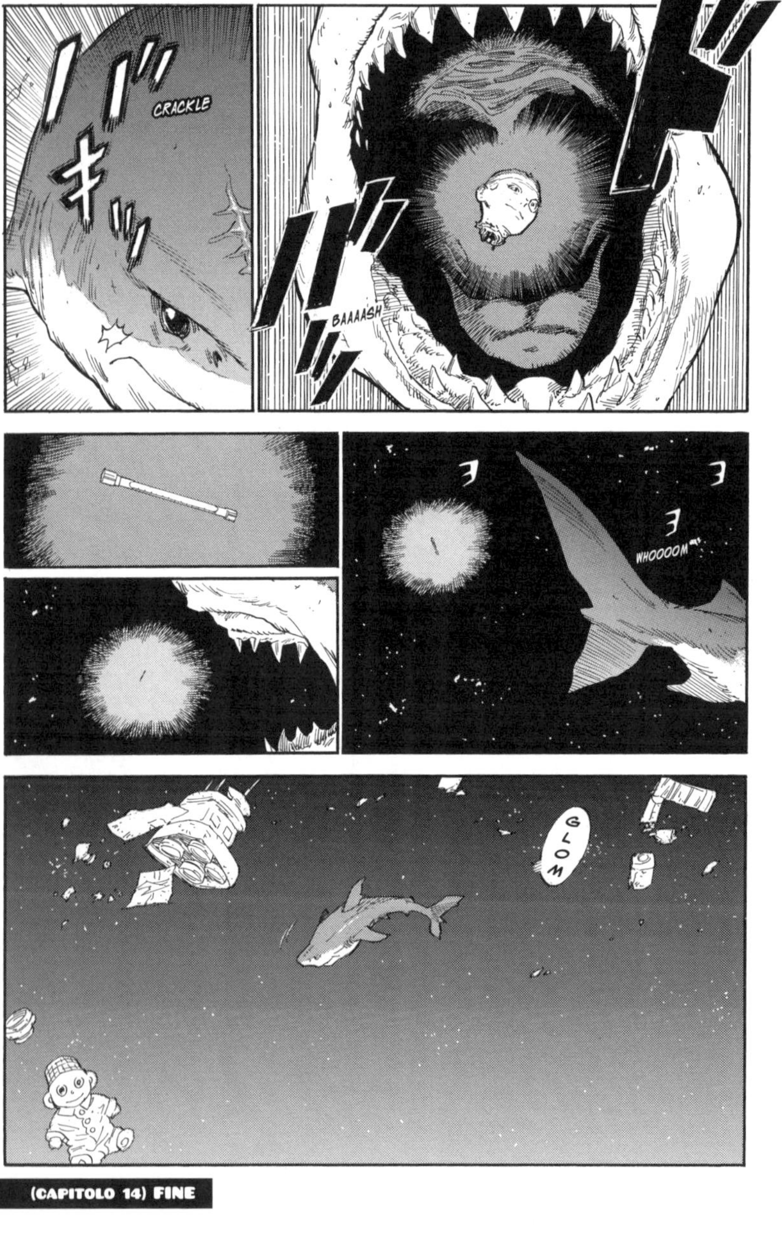

(CAPITOLO 14) FINE

CONTINUA

NINA STARDUST

Satoshi Fukushima

2

JPOP è una collana di
Edizioni BD srl
Viale Coni Zugna 7
20144 Milano
www.edizionibd.it www.j-pop.it
info@edizionibd.it

Traduzione di
Monica Bollini

Lettering di
Vibrraant IT

Stampa
Grafiche Ambert
Verolengo (TO)

ISBN: 9788832753790

HOSHIKUZU NINA Vol. 2
©2011 Satoshi Fukushima
All Rights Reserved.
First published in Japan in 2011 by
KADOKAWA CORPORATION ENTERBRAIN
Italian translation rights arranged with
KADOKAWA CORPORATION ENTERBRAIN
through TUTTLE-MORI AGENCY, INC., Tokyo.